Édouard BLED
Directeur honoraire de collège à Paris

Odette BLED
Institutrice honoraire à Paris

Lauréats de l'Académie française

BLED

CP/CE

Orthographe **Conjugaison**
Grammaire **Vocabulaire**

Nouvelle édition 1998
assurée par Daniel Berlion
Inspecteur de l'Éducation nationale

Création de la maquette et de la couverture : **Pascal Plottier.**
Réalisation technique en PAO : **Maxime Fargier.**

ISBN 2011161193

43, quai de Grenelle, 75905 Paris Cedex 15

Il en est de l'orthographe comme de bien d'autres disciplines, surtout lorsqu'il s'agit des commencements : si nous voulons atteindre l'objectif fixé, avec ce que cela implique d'efforts patients, persévérants et ordonnés, il faut procéder en adoptant une démarche qui va du simple au complexe ; comme le disaient Édouard et Odette Bled « hâtons-nous lentement ! ». Certes, cette manière de procéder n'est pas la seule mais dans le cas spécifique de l'orthographe, c'est elle qui — très pragmatiquement — donne les meilleurs résultats pour une majorité d'élèves.

C'est cette démarche qui fut adoptée par É. et O. Bled dans tous leurs ouvrages ; nous avons tenu à conserver cette ligne de conduite qui a assuré le succès de la collection. La rigueur, l'exhaustivité, la clarté de la présentation, la formidable somme d'exercices (plus de 600 par ouvrage !) que l'élève doit aborder avec méthode et détermination, clé de ses progrès, nous en avons fait notre miel et tous les utilisateurs du *Bled* retrouveront ces qualités qui structurent un enseignement difficile pour le maître et long pour l'élève.

Alors pourquoi une refonte puisque la permanence de ces valeurs n'échappe à personne ?

En cinquante ans, les conditions d'enseignement ont changé, la didactique orthographique a mis en évidence certains faits — ils n'avaient pas échappé à É. et O. Bled (les procédés de nominalisation ou de substitution sur l'axe paradigmatique par exemple) — qui permettent de mieux soutenir l'effort de l'élève ; aussi avons-nous introduit une cohérence nouvelle en fonction des programmes d'enseignement. L'accent a été mis sur les difficultés figurant explicitement dans ces programmes même si des extensions seront systématiquement proposées car, sur de nombreux points, certains élèves sont à même de poursuivre leurs apprentissages à partir des bases qui leur sont données.
En somme, nous avons voulu offrir à l'élève le plus en difficulté un ouvrage qui lui permette de reprendre confiance et à l'élève le plus avancé dans ses apprentissages une possibilité de perfectionner son orthographe.

Restait, bien sûr, le problème du vocabulaire. Les transformations, voire les bouleversements de notre vie quotidienne ont été tels depuis quelques années que tout en respectant, ici ou là, la nostalgie d'un monde rural et stable encore cher à certains, nous avons choisi de poursuivre résolument ce qui avait déjà été amorcé et de placer l'élève devant des situations qu'il rencontrera au cours de sa vie scolaire. La télévision, les cassettes vidéo, les moyens de transport, les modes alimentaires, les avancées technologiques, les voyages, le sport, bref tous les centres d'intérêt d'un enfant d'aujourd'hui, servent de support aux exemples.

La première partie de cet ouvrage marque l'importance qu'il faut donner, au cours du cycle 2, à l'écriture des sons difficiles. La consolidation des mécanismes de lecture se poursuit et s'affirme dans l'écriture.
Nous avons voulu, également, que l'élève s'habitue à établir des séries analogiques qui permettront l'intégration de nouveaux savoirs au cours de sa scolarité … et de sa vie ! car c'est sur des bases solides que se constituent les meilleurs apprentissages.

Pour l'orthographe grammaticale, nous suivons de près la progression de l'école élémentaire. Avant d'utiliser correctement en situation d'écriture le nom, l'adjectif, le verbe, le pronom personnel, l'élève doit d'abord connaître, puis reconnaître ces mots. En effet — et on l'oublie quelquefois … — l'élève ne pourra placer les différents accords que s'il est capable de distinguer la nature de chacun des mots de la phrase. Enfin, au fur et à mesure que les connaissances grammaticales se précisent, nous proposons des exercices simples pour que soient évitées les erreurs fâcheuses dues aux homonymies.

En conjugaison, nous avons retenu une démarche qui, sans placer l'élève en situation délicate, permet l'étude des auxiliaires et des verbes en -er aux principaux temps de l'indicatif.
À la fin de cette partie, nous présentons en quelques pages, outre les verbes aller et venir, très usités, un verbe en -ir, un verbe en -dre et les verbes faire et voir, pour établir une liaison avec le niveau suivant.

Presque toutes les leçons s'achèvent par des séries de mots présentant des analogies phonétiques ou graphiques ; il est ainsi plus facile de reconnaître leur orthographe. Ces mots appartiennent au vocabulaire d'aujourd'hui.

À travers l'apprentissage de l'orthographe, c'est en fait la maîtrise de la langue que nous visons ; si l'élève est à l'école de la rigueur et de la correction, il sera progressivement conduit à être plus attentif à tous les problèmes que pose une expression personnelle, puisque c'est bien évidemment l'objectif ultime : **mettre l'orthographe au service de l'expression de l'élève**. C'est pourquoi nous avons placé, aussi souvent qu'il était possible, des exercices qui visent un réinvestissement, en situation d'écriture, des acquisitions orthographiques.

DANIEL BERLION

1re partie : Orthographe .... page 9

Sommaire

2e partie : Grammaire ... page 55

leçon

3e partie : Conjugaison ... page 95

leçon

Alphabet phonétique

consonnes	voyelles
[b] de bal	[a] de patte
[d] de dent	[ɑ] de pâte
[f] de foire	[ɑ̃] de clan
[g] de gomme	[e] de dé
[k] de clé	[ɛ] de belle
[l] de lien	[ɛ̃] de lin
[m] de mer	[ə] de demain
[n] de nage	[i] de gris
[ɲ] de brugnon	[o] de gros
[p] de porte	[ɔ] de corps
[ʀ] de rire	[ɔ̃] de long
[s] de sang	[œ] de leur
[ʃ] de chien	[œ̃] de brun
[t] de train	[ø] de deux
[v] de voile	[u] de fou
[z] de zèbre	[y] de pur
[ʒ] de jeune	

semi-voyelles
(ou semi-consonnes)

[j] de fille
[ɥ] de huit
[w] de oui

Orthographe

1re leçon

Les mots. Les syllabes. Sachons couper les mots.

Mélanie cherche des champignons
dans le bois jauni par l'automne.

RÈGLES

1. Nous parlons à l'aide de **mots**.

Mélanie, cherche, des, champignons... sont des mots.

2. Chaque partie d'un mot qui se prononce en un seul son s'appelle une syllabe.

Mé-la-nie, cher-che, cham-pi-gnons sont des **syllabes**.

3. Lorsqu'un mot doit être coupé à la fin d'une ligne, il faut placer un petit trait à la fin de la ligne, juste après une syllabe :

Mélanie cherche des champignons.

4. Lorsque le mot contient deux lettres identiques qui se suivent (une lettre doublée), la séparation se fait entre ces deux lettres :

Comme la route est étroite, le chau**f**-
feur conduit lentement.

EXERCICES

1 Copie le texte suivant et indique combien de mots il contient.

Le jour se lève. Le brouillard baigne la campagne. Le soleil rougit le sommet de la colline. On entend les premiers bruits : la nature se réveille.

2 Indique le nombre de syllabes pour chacun des mots.

chameau	éléphant	écureuil	chèvre	panthère
dromadaire	crocodile	léopard	antilope	baleine

3 Indique le nombre de syllabes pour chacun des mots.

rossignol	mésange	hirondelle	fauvette	pinson
corbeau	moineau	alouette	perroquet	cigogne

4 Coupe les mots comme si tu devais les écrire en fin de ligne.

Exemples : ter-mite, termi-te — co-quelicot, coque-licot, coqueli-cot.

puceron — sauterelle — moustique — fourmi — libellule.

5 Trouve trois mots d'une syllabe, de deux et de trois syllabes.

Les voyelles et les consonnes

Caroline nage sur le dos.

RÈGLES

1. Six lettres peuvent se prononcer seules : **a**, **e**, **i**, **o**, **u**, **y**.
Ce sont les voyelles.

2. Les autres lettres ne peuvent se prononcer qu'avec une voyelle : **s**a, **j**e, **m**i, **d**o, **d**u, **b**a, **c**o, **d**i, **f**u… On les appelle les consonnes.
Il y a vingt consonnes :
b, c, d, f, g, h, j, k, l, m, n, p, q, r, s, t, v, w, x, z.

3. Dans certains mots on n'entend pas toutes les lettres :
le do**s**, le pon**t**, for**t**.

EXERCICES

6 Écris l'alphabet et entoure les voyelles avec un crayon de couleur. Comment s'appellent les lettres qui restent ?

7 Écris ces mots et entoure les voyelles.

légume image école salade figure
tête parole camarade navire robe

8 Écris ces mots et entoure les consonnes.

salive domino canari usine minute
tulipe pile farine gamine lavage

9 Complète avec l'un de ces mots : tomate, limonade, mare, valise.

La … est bien trop lourde. — Les canards barbotent dans la … . — Quand il fait chaud, je bois de la … . — La … est un fruit rouge.

10 Complète avec l'un de ces mots : banane, numéro, cabane.

Chacune des maisons de cette rue porte un … . — Les enfants découvrent une … dans la forêt. — La … est un fruit nourrissant.

11 Certains mots ont été oubliés, retrouve-les.

La … brille la nuit. — Le jour qui suit le vendredi, c'est le … . — L'ascenseur de notre immeuble monte jusqu'au sixième … .

12 Réponds aux questions en faisant une courte phrase.

Quel est le fruit de l'olivier ? — Où se rend-on pour prendre le train ? — Qu'obtient-on quand on moud du blé ?

3e leçon

ar, or, ir, our, oir, al, ol, il, ic, if, is...

Je regarde Victor sortir la tarte du four.

RÈGLES

1. Certaines syllabes se terminent par une consonne :

re-gar-de → **ar** Vic-tor → **ic**, **or**

2. Il faut bien connaître l'orthographe des **mots invariables** (ce sont des mots dont l'orthographe ne change jamais) :

Tu as attendu pour rien. → **pour**
Ce portail est toujours ouvert. → **toujours**

EXERCICES

13 Copie ces mots. Marque les syllabes en les entourant, puis colorie en bleu la voyelle qui précède une consonne.

soir	bol	sardine	mur	canif	truc
bonjour	fil	animal	castor	corde	tir

14 Place un **ou** une **devant chaque nom et marque les syllabes. Colorie la ou les voyelles qui précèdent une consonne.**

col	carte	cascade	corne	couloir	bocal
lac	four	piste	cour	journal	rasoir

15 Copie ces phrases et souligne les mots pour **et** toujours**.**

Le facteur passe toujours à la même heure. — J'achète un journal pour enfant. — Il fait très froid pour un mois de juin.

16 Complète par l'un de ces mots : par, car, pour, sur, autour.

Il y a une haie de ronces remplie de mûres tout ... du jardin. — Nous passerons ... le village ... aller au bord de la mer. — Nous rentrons ... il fait froid. — Lise pose son cartable ... le bureau.

17 Complète avec un mot qui contient le son our, ir **ou** oir**.**

Le boulanger sort le pain du f... . — La méchante reine interroge son mi... magique. — Le départ de la c... cycliste vient d'être donné. — Le c... installe son chapiteau pour la représentation de ce s... .

18 Vocabulaire à retenir

la cour — bonjour — le journal — la carte — la corne — la piste
la course — le soir — pour — toujours

br/pr cr/gr fr/vr dr/tr

la **brosse**	la **crevette**	le coffre	la **dragée**
la **prune**	la **grappe**	la chèvre	la **troupe**

RÈGLES

1. Dans certaines syllabes, on entend deux consonnes avant la voyelle :
   la **brosse** → br o   la **prune** → pr u
2. Il faut bien connaître l'orthographe des **mots invariables** :
   Le pêcheur est **très** imprudent, il se place **trop près** du bord. → **très, trop, près.**

EXERCICES

19 **Copie ces noms en plaçant devant chacun d'eux** un **ou** une.

arbre	frère	promenade	crabe	montre	trace	lièvre
pré	livre	brouette	agrafe	promesse	litre	grain

20 **Complète par…**

br **ou** pr : …airie	…ûlure	…ojet	…as	…ebis	…essoir
cr **ou** gr : …ochet	…iffe	…ippe	…avate	…ème	…avure
fr **ou** vr : …iture	a…il	…agile	poi…e	…aise	…otter
dr **ou** tr : ci…on	…apeau	vi…ine	…ousse	atten…e	gou…on

21 **Complète par :** fredonne, trouve, frappe, gronde, broute, ouvre.

Le mouton … l'herbe le long du chemin. — Le musicien … sur son tambourin. — L'orage … . — Louis … une chanson. — Il fait beau, on … grand les fenêtres. — Dans ce bois, on … des noisettes.

22 **Complète par :** très, trop, près.

L'hiver nous restons … du feu. — Lorsque vous écrivez, n'appuyez pas … sur votre stylo. — L'infirmière se tient … du malade. — Ce joueur de basket est … grand. — Mangez à votre faim, mais ne mangez pas … .

23 **Complète par :** croûte, acrobate, sucre, poudre, vitrine, grappe.

L'… fait des sauts extraordinaires. — Nous mettons du … en … sur nos crêpes. — La … du pain est dorée. — Les enfants regardent les jouets exposés dans la … . — Tu manges une belle … de raisin.

24 **Vocabulaire à retenir**

le frère — le père — la mère — près — très — trop

5e leçon

bl / pl cl / gl

le **blé** la **pla**nte le **clou** le **glo**be **plus** **plu**tôt

RÈGLES

1. Dans certaines syllabes, on entend deux consonnes avant la voyelle :
le **blé** → bl é la **pla**n-te → pl a

2. Il faut bien connaître l'orthographe des mots invariables :
plus, plutôt.

EXERCICES

25 Copie ces noms en plaçant devant chacun d'eux un **ou** une.

blouse	blague	glace	plume	oncle	clavier
laine	pluie	clocher	fable	clé	aigle

26 Complète par…

bl **ou** pl **:**	ta…e	…uie	ta…ier	…ace	…eu	sou…e
cl **ou** gl **:**	cer…e	…ace	trian…e	…ient	…ou	bou…e

27 Complète par éclaire**,** éclate**,** remplace**,** glisse**,** tremble**.**

Le Soleil … la Terre. — L'oiseau … de froid. — Le patineur … sur la glace. — Le vitrier … la vitre cassée. — Le ballon trop gonflé … .

28 Complète par cloison**,** cartable**,** double**,** blessure**.**

L'élève range ses livres dans son … . — La championne olympique ne peut pas courir, elle a une … à la cuisse. — Quatre, c'est le … de deux. — Les ouvriers abattent la … qui sépare la cuisine du salon.

29 Complète par bl **ou** pl**.**

L'averse est violente, le passant s'abrite sous un para…uie. — La table est recouverte d'une nappe …anche. — Sur la …age, les enfants font des châteaux de sa…e.

30 Complète par cl **ou** gl**.**

Les peintres ont repeint la salle de …asse. — Pour tracer des traits droits, j'utilise une rè…e. — Le cuisinier soulève le couver…e de la casserole. — L'aveu…e s'aide d'une canne blanche pour se déplacer.

31 Vocabulaire à retenir

la table — la plage — la cloche — la glace — la règle — la plante

oi, ou, on

Le ballon roule sous la table.
La voiture roule sur le pont.

RÈGLES

1. Dans certaines syllabes, deux voyelles forment un seul son :
   roule [u], **sous** [u], **pont** [ɔ̃]
2. Il faut bien connaître l'orthographe des mots invariables :
   La voiture roule **sur** le pont. → **sur**
   Le ballon roule **sous** la table. → **sous**

EXERCICES

32 Copie ces noms et entoure le son oi [wa].

mémoire toiture poisson pivoine voiture foire

33 Copie ces mots et entoure le son ou [u].

soupe coude boutonner foule route moule

34 Copie ces mots et entoure le son on [ɔ̃].

salon mouton montagne bonbon foncer poisson

35 Copie ces phrases et souligne les mots sous **et** sur.

Le lézard se faufile sous la pierre. — Je pose le livre sur l'étagère. — S'il pleut, nous nous abriterons sous le parapluie. — Les campeurs dorment sous une tente. — Les spectateurs sont les uns sur les autres.

36 Complète par l'un de ces mots : coupe, boite, raconte, inonde, soir.

J'aime que Mamie me … l'histoire du Petit Poucet. — La rivière déborde, elle … les prés. — Je me suis tordu le pied, je … . — Ce … , nous irons au cinéma. — Bertrand se … une tranche de pain.

37 Complète par déroule, roucoule, monte, démonte, roi.

On dit que le lion est le … des animaux . — Le pigeon … sur le toit. — Le moteur de la voiture ne fonctionne pas, alors le mécanicien le … . — Le chat joue avec la pelote de laine et la … . — Je … dans l'autobus.

38 Vocabulaire à retenir

le roi — le soir — une poire — sous — sur — le coude — la route
le salon — le mouton — le savon

7e leçon

ch, gn

Le champion gagne une magnifique coupe.

RÈGLES

1. Certains sons s'écrivent avec deux consonnes :
   le champion [ʃ] — gagne, magnifique [ɲ]

2. Il faut bien connaître l'orthographe des **mots invariables** :
   Richard va chaque mois chez le dentiste. → **chaque, chez**

EXERCICES

39 **Copie ces noms en plaçant devant chacun d'eux** un **ou** une.

cheminée	bûche	chance	chemise	ligne	baignoire
cheval	mouchoir	poignée	chauffeur	montagne	guidon

40 **Copie, puis souligne** ch **d'un trait bleu et** gn **d'un trait rouge.**

un compagnon agréable — un chiffon bleu — une chevelure blonde — une brioche chaude — une chaleur étouffante — un chemin étroit.

41 **Complète par** ch **ou** gn.

la mousta…e	le bou…on	la vi…e	l'égrati…ure	la …aise
la monta…e	un bru…on	la li…e	la va…e	le si…al

42 **Copie ces phrases et souligne** chez **et** chaque **d'un trait de couleur.**

La cigale alla crier famine chez la fourmi sa voisine. — Chaque matin, monsieur Linet prend le métro. — À chaque carrefour, il y a un panneau indicateur. — J'ai acheté de la choucroute chez le charcutier.

43 **Complète par** attache, peigne, soigne, grignote, épluche, mâche.

Le médecin … les malades. — Rachel … calmement ses patins. — Camille … sa poupée. — La souris … le pain dur. — Dominique … des pommes de terre. — Sébastien … du chewing-gum.

44 **Complète par** rossignol, araignée, chat, cheval, agneau, vigneron.

Le … franchit l'obstacle. — L'… tisse sa toile. — Le … gris a une belle moustache blanche. — Madame Curie achète un gigot d'… . — Le … craint de voir la grêle abîmer ses beaux raisins. — Le … chante la nuit.

45 **Vocabulaire à retenir**

la vache — la chemise — la marche — la vigne — la ligne — le signal

m devant m, b, p

Les pompiers emmènent le blessé dans une ambulance.

RÈGLES

1. Devant **m**, **b**, **p**, il faut écrire m au lieu de **n** :
   emmènent, l'ambulance, les pompiers.

Attention à quelques exceptions :
un bonbon, une bonbonne, une bonbonnière…

2. Il faut bien connaître l'orthographe des **mots invariables** :
   Nous resterons longtemps ensemble.

EXERCICES

46 Copie ces mots et entoure mb, mp, mm.

la chambre compter l'ampoule le nombre emménager
le timbre tremper la jambe la tempête en décembre

47 Complète par m **ou** n.

e…mailloter la ti…bale un la…pion l'o…bre la co…pote
e…tourer la colo…be le cha…pagne le co…pteur le bo…bon
resse…bler la la…terne un cha…teur la po…pe co…bien

48 Complète par longtemps **ou** ensemble.

Le taxi avait du retard, nous l'avons … attendu. — Les filles et les garçons jouent … au basket. — Il n'a pas fallu … avant que Benoît s'amuse avec nous. — Nous ne pouvons plus marcher …, tu vas trop vite.

49 Complète avec l'un des verbes : rampe, tombe, grimpe, rassemble.

Saute la barrière et surtout, ne … pas ! — Après la partie, Antoine … les pions. — Le serpent … dans l'herbe. — L'écureuil … dans l'arbre.

50 Complète par m **ou** n.

Il pleut, il neige, le te…ps est changeant. — Je préfère le son de la tro…pette à celui du tro…bone. — Cet autobus est co…plet, les voyageurs atte…dront le suivant. — Le cha…p de blé s'éte…d à perte de vue.

51 Vocabulaire à retenir

la jambe — la lampe — grimper — compter (les points) — emporter
longtemps — ensemble

9e leçon

L'apostrophe (')

Lorsqu'on arrive à **l'étang**, **s'il n'**y a pas de brume, on aperçoit au loin le clocher de **l'église** du village.

RÈGLE

On écrit	**lorsqu'on**	à la place de **lorsque on**.
On écrit	**s'il**	à la place de **si il**.
On écrit	**l'étang**	à la place de **le étang**.
	l'église	à la place de **la église**.

L'apostrophe (') est un petit signe qui remplace une des voyelles **a**, **e**, **i** :

la → l' **lorsque → lorsqu'** **si → s'**

EXERCICES

52 Copie en plaçant correctement les apostrophes.

(Lorsque on) (se amuse) bien, le temps passe vite. — (Si il) pleut, (le escargot) sort se mouiller. — (La aventure) (se est) bien terminée : heureusement ! — (Je irai) à la piscine (jusque à) midi.

53 Copie en plaçant correctement les apostrophes.

Il faut (que il) rentre tôt, ce soir. — La robe (que elle) porte est jolie. — (Puisque ils) vont au cinéma, ils partiront avec vous. — (La alarme) a si bien fonctionné que tout le quartier (se est) réveillé.

54 Copie en plaçant correctement les apostrophes.

Dès (que il) fera beau, nous repeindrons les volets. — Les élèves répètent la chanson (que ils) chanteront à la fête de (la école). — (Que il) est agréable de regarder les vitrines de Noël. — (Le orage) (ne est) pas loin !

55 Écris sur le modèle : écolier → un écolier, l'écolier, les écoliers.

abeille	éléphant	image	ange	insecte	oiseau
orange	écureuil	abricot	homme	échelle	île

56 Écris les verbes entre parenthèses au présent.

Tu (marcher) vite et tu (s'essouffler). — L'auteur de ce roman (s'appeler) Daniel Pennac. — Je (s'allonger) sur le sable de la plage. — L'automobiliste (s'arrêter) au feu rouge.

57 Vocabulaire à retenir

l'homme — l'image — l'oiseau — s'abriter — s'allonger — s'arrêter

Les noms commençant par un h

Le hérisson sort de la haie et se cache dans l'herbe.

RÈGLES

1. Seule la consultation du dictionnaire permet de savoir si un nom commence par un h : le hérisson, la haie, l'herbe.

2. Pour certains de ces noms, on fait une liaison avec l'article pluriel qui les précède : **l'herbe, les herbes.**

Le **a** ou le **e** de l'article singulier est alors remplacé par une apostrophe. On ne dit pas la herbe mais l'herbe.

EXERCICES

58 Écris ces noms au pluriel. Indique s'il faut faire la liaison.

Exemples : l'huile → des huiles   la hutte → les huttes.

le hibou   le héros   l'homme   l'heure   l'hiver   l'histoire
le haricot   la hauteur   l'hélice   l'huître   l'horloge   l'humeur

59 À côté de chaque nom, écris le verbe correspondant.

Exemple : l'habit → habiller

la hache   l'habitation   le hurlement   l'hésitation   l'habitude

60 Place le, la ou l' devant ces noms.

hachoir   hasard   hangar   hameau   hélicoptère
hameçon   horizon   hanneton   homard   hareng

61 Complète ces noms.

L'...irondelle fait la chasse aux insectes. — Tu laisseras tes chaussures dans le ...all. — Le pêcheur saisit son ...arpon. — Les femmes africaines portent leur bébé sur la ...anche, enroulé dans un pagne.

62 Complète ces noms.

Le ...oux est un arbuste toujours vert. — Betty joue de l'...armonica. — Le blessé est conduit à l'...ôpital. — Monsieur Roger manque d'...umour, il ne rit jamais. — Le Père Noël porte une ...otte sur son dos. — Les voyageurs dorment à l'...ôtel.

63 Vocabulaire à retenir

l'heure — l'hiver — l'habit — la hache — le haricot — le hangar

11e leçon

Les accents (´) (`) (^)

Sébastien prépare la pâte à crêpes.
Véronique lèche la cuillère.

RÈGLES

Les accents servent généralement à changer la prononciation de certaines voyelles.
Ils sont aussi importants que les lettres.

1. L'accent aigu (´) se place seulement sur la lettre **e**.
On entend alors le son [e] (é) :
prépare, Véronique, le téléphone, le trésor.

2. L'accent grave (`) se place le plus souvent sur la lettre **e**.
On entend alors le son [ɛ] (è) :
lèche, la cuillère.
On le trouve aussi dans les deux petits mots **à** et **où** :
à la place de — où allez-vous ?

3. L'accent circonflexe (^) se place sur la lettre **e**.
On entend alors le son [ɛ] (ê) :
la crêpe.
On le trouve aussi sur les voyelles **a - i - o - u** :
la pâte, un bâton, une île, drôle, une bûche, la croûte.

Remarque :
Après une voyelle accentuée, on ne double pas la consonne :
pré**p**are, la pâ**t**e, la cuillè**r**e.

EXERCICES

64 Copie ces noms en plaçant correctement les accents aigus.

l'etoile le ble le legume la verite l'epine l'aeroport
l'elephant l'epingle l'ete l'ecole un bebe la liberte

65 Copie ces noms en plaçant correctement les accents graves.

la poussiere la riviere le frere la vipere la mere
la creme la lumiere la portiere un modele le pere
la biere la colere la maniere la chevre le systeme

66 Place correctement les accents circonflexes.

un patissier l'enquete la guepe le maitre le roti bruler
un ane becher la foret la boite l'hopital gouter

67 **Copie ces mots en plaçant correctement les accents.**

le platre	le chateau	se facher	l'ecrevisse	etendre	la bete
la regle	la chaine	la fete	le gruyere	la croute	le cote
l'ile	murir	palir	preter	recolter	controler
la fievre	la tete	l'etendard	la piqure	le vetement	l'helice

68 **Copie ces phrases en plaçant correctement les accents.**

Les eleves preparent la fete de l'ecole. — Lorsque la barriere sera levee, nous passerons aussitot. — Le charcutier vend du pate de lievre. — Les chateaux forts etaient entoures de profonds fosses. — La sincerite est le ciment de l'amitie.

69 **Entoure la voyelle accentuée et souligne la consonne qui suit.**

le bâtiment	la fenêtre	l'étoffe	la télévision
l'étincelle	le bétail	la flûte	l'électricité
le chêne	célèbre	fidèle	connaître
la visière	l'énergie	disparaître	la fidélité

70 **Écris le nom féminin à côté du nom masculin.**

Exemple : le meunier → la meunière

le laitier	le berger	l'écolier	le cuisinier
le pâtissier	le boulanger	le passager	le crémier
le droitier	l'infirmier	l'épicier	le banquier

71 **Complète avec la consonne qui convient.**

La caissiè...e rend la monnaie. — Le joueur donne un coup de tê...e dans le ballon. — Mon livre de lecture est inté...essant. — Je n'aime pas manger les poissons qui ont beaucoup d'arê...es. — La piè...e de théâ...re est passionnante.

72 **Entoure les voyelles portant un accent circonflexe.**

une bûche, une bûchette, un bûcheron, une embûche — une tête, un âne têtu, un enfant entêté — brûler, une brûlure, brûlant — pâlir, la pâleur, pâlot — enchaîner, la chaîne, déchaîner, le chaînage — bâtir, un bâtiment, une bâtisse, un bâtisseur.

73 **Choisis trois mots de l'exercice 72 et emploie chacun d'eux dans une phrase.**

74 **Vocabulaire à retenir**

le téléphone — une hélice — la télévision
le frère — la lumière — la caissière
la tête — la guêpe — la fête — la fenêtre — la flûte — le vêtement

12e leçon

Les consonnes doubles

Anna nourrit son lapin avec des carottes.

RÈGLES

1. Certaines consonnes peuvent être doublées.
2. Lorsqu'il y a des consonnes doubles dans un mot, la séparation des syllabes écrites se fait entre ces consonnes :
   An-na nour-rit les ca-rot-tes.
3. On ne double pas la consonne qui suit une voyelle accentuée.

EXERCICES

75 Place la **ou** le **devant chaque nom. Entoure les consonnes doubles.**

coiffure canne tasse enveloppe bosse goutte
colline colonne nappe poisson botte balle

76 Copie ces noms en marquant les syllabes : secousse → se-cous-se.

mousse couronne fourrure carrosse attente colle
étoffe pommade rossignol carcasse bulle tissu

77 Complète avec l'un de ces verbes : attire, arrive, ramasse, appelle, allume, bourdonne.

Je … une grosse pomme dans le jardin. — Le miel … les guêpes. — L'enfant … à l'heure à l'école. — Il fait nuit, Régis … sa lampe de chevet. — Christophe a de la fièvre, maman … le médecin. — Une mouche … à nos oreilles.

78 Complète avec l'un de ces noms : malle, mousse, canne, fourrure.

Mon chat a une belle … , j'aime le caresser. — Le nid du pinson est fait de brindilles et de … . — Pendant les vacances, il ne quitte pas sa … à pêche. — Avant son départ en bateau pour l'Asie, Sandrine prépare sa … .

79 Complète avec la consonne qui convient.

Les amis de mes parents sont venus dî…er ce soir. — Valérie espè…e trouver la solution du problè…e. — Le coq a une magnifique crê…e rouge. — Malik range ses vê…ements dans l'armoire.

80 Vocabulaire à retenir

un homme — une pomme — un ballon
chauffer — nourrir — allumer — appeler — bourdonner

e suivi d'une consonne double, e entre deux consonnes

Cette terrine de lapin de garenne est excellente !
L'aubergiste cuisine à merveille !

RÈGLES

1. **Devant** une consonne double, e se prononce le plus souvent [ɛ] (è), mais s'écrit sans accent : cette, la terrine, la garenne, excellente.

2. **Entre** deux consonnes, au milieu d'une syllabe, e se prononce souvent [ɛ] (è), mais s'écrit sans accent : l'aubergiste, merveille.

EXERCICES

81 **Copie ces mots. Entoure la lettre** e **qui se prononce** [ɛ] (è). **Souligne les consonnes doubles qui suivent.**

la terre	la cachette	la noisette	l'ennemi	la vitesse
la semelle	la paresse	la vaisselle	la pelle	la tablette
l'effort	la libellule	la recette	essayer	dresser

82 **Copie ces mots. Entoure la lettre** e **qui se prononce** [ɛ] (è).

le merle	le caramel	le fer	le tunnel	l'herbe	perdre
la mer	la perle	l'hiver	le sel	le couvercle	avec

83 **Écris ces noms au pluriel.**

la sauterelle	la tourterelle	la bretelle	le rebelle	l'étincelle
la voyelle	la prunelle	la demoiselle	la ficelle	l'échelle

84 **Écris ces noms au pluriel.**

la promesse	la galette	la caresse	la sonnette	la tigresse
l'adresse	la devinette	l'assiette	la miette	la violette
l'allumette	la serviette	la crevette	la charrette	la brouette

85 **Écris ces noms au féminin.**

le chien	le gardien	le musicien	un Parisien	un Alsacien
un Indien	un collégien	un comédien	un pharmacien	un mécanicien

86 **Vocabulaire à retenir**

la ficelle — la toilette — le tonnerre — serrer — caresser — sonner
une perle — permettre — l'hiver — le couvercle

Le son [ɑ̃] : an, en

En marchant vite, tu seras certainement en avance.

RÈGLES

1. Le son [ɑ̃] peut s'écrire an ou en : **marchant**, **certainement**.
2. Il faut bien connaître l'orthographe des **mots invariables** : **encore**, **en**, **ensuite**.

EXERCICES

87 Copie ces noms en plaçant devant chacun d'eux un **ou** une. **Entoure** an **en bleu et** en **en rouge.**

grange	pantoufle	menton	pantalon	pente	encre
gant	ruban	vendeuse	branche	cendrier	dentelle
orange	écran	menteur	lanterne	calendrier	récompense

88 Complète avec encore **ou** ensuite.

Nous choisirons une cassette, … nous la regarderons. — Cette année, j'irai … au bord de la mer. — Marc est … le dernier à sortir. — Je fais mes devoirs, … j'apprendrai mes leçons.

89 Complète par l'un de ces verbes : enfle, enfile, enferme, entoure, encouragent, enfonce. **Entoure** en **en rouge.**

Le colosse … les clous avec ses poings. — J'ai mal aux dents, ma joue … . — Mon petit frère … des perles. — Un grand mur … le jardin. — Les spectateurs … les deux équipes. — Le dompteur … les tigres.

90 Complète par l'un de ces verbes : chante, danse, mange, plante, demande, abandonne. **Entoure** an **en bleu.**

Le chat … la souris. — Je … mon chemin à un passant. — Après le refrain, je … le couplet. — Le jardinier … un arbuste. — Le bouchon flotte et … sur l'eau. — Le mauvais joueur … la partie.

91 Complète avec an **ou** en. **Entoure** an **en bleu et** en **en rouge.**

blanc : bl…che, bl…chir, la bl…chisserie, la bl…chisseuse.
vendre : la v…te, la v…deuse, le v…deur.
mentir : la m…teuse, le m…songe, le m…teur.

92 Vocabulaire à retenir

la langue — la planche — le ruban — la dent — le vent — le menton

Les sons [o] et [ɔ] : au, o

Laurent offre une brioche et une gaufre chaude
à Charlotte.

RÈGLES

1. Le plus souvent, au commencement et à l'intérieur des mots, il faut écrire :
au quand le son est fermé [o] : Laurent, la gaufre, chaude ;
o quand le son est ouvert [ɔ] : offre, une brioche, Charlotte.

2. On écrit pourtant : ch**o**se, r**o**se, p**o**se… avec un **o**.

3. Il faut bien connaître l'orthographe des **mots invariables** :

J'ai autant d'images que toi.	→	**autant**
Elles sont aussi belles.	→	**aussi**
Les joueurs sont auprès de l'entraîneur.	→	**auprès**
La Terre tourne autour du Soleil.	→	**autour**

EXERCICES

93 Écris ces noms au singulier puis au pluriel.

poche flocon auberge faute pioche robe saucisse

94 Complète par au ou o.

la par…le le rest…rant le v…tour l'…tobus la h…teur
la ch…ssette la br…sse la lim…nade le c…ton le s…vage

95 Complète par l'un de ces verbes : vole, galope, miaule, saute.

Le cheval … à l'approche de l'arrivée. — La fillette … à la corde. — Le papillon … de fleur en fleur. — Le chat … à la porte.

96 Complète par : autour, autant, auprès, aussi.

Tu es venue t'asseoir … de moi. — Ophélie n'a pas … de livres que Marc. — Mon frère est … grand que moi. — Les élèves se groupent … du maître.

97 Complète par au ou o.

La cl…che s…nne. — J'ai une éc…rchure au genou g…che. — Le skieur se réch…ffe au soleil. — Les p…pières protègent les yeux.

98 Vocabulaire à retenir

sauter — la faute — la parole — la robe — autant — autour — auprès

16e leçon

Des mots dont l'orthographe ne change jamais : les mots invariable[s]

Il a chanté **pendant** une heure **sans** micro **devant** un public ravi.

RÈGLE

Il faut bien connaître l'orthographe des **mots invariables** :

pend**ant**	pourt**ant**	av**ant**	aut**ant**	**dans**	**quand**
cepend**ant**	dur**ant**	dev**ant**	mainten**ant**	ded**ans**	**sans**
fois	autre**fois**	par**fois**	quelque**fois**	toute**fois**	
assez	beaucoup	malgré	mieux		
moins	plus	puis	depuis		

EXERCICES

99 Complète par pendant **ou** cependant.

Maman a attendu le départ du train … une heure. — Le chat a l'air de dormir, … il guette la souris. — … que tu ranges tes livres, je termine mon travail. — Le temps est gris, … nous sortirons.

100 À ton tour, emploie pendant **et** cependant **dans deux phrases.**

101 Complète par pourtant **ou** durant.

Le soleil brille, … il fait froid. — … toutes les vacances, je suis resté chez ma tante. — Il a plu … la nuit entière. — Je n'aime pas les épinards, … j'en mange.

102 À ton tour, emploie pourtant **et** durant **dans deux phrases.**

103 Complète par dans **ou** dedans.

Je range la bouteille de lait entamée … le réfrigérateur. — Aurélien marche … la boue. — J'ouvre la boîte, mais je ne trouve rien … . — Vais-je t'attendre dehors ou … ?

104 À ton tour, emploie dans **et** dedans **dans deux courtes phrases.**

105 Complète par avant **ou** devant.

Martial est assis à table… une omelette appétissante. — Monsieur Bicarbon prend son médicament … de manger. — L'autocar s'arrête … l'école. — … d'écrire un mot, il faut réfléchir.

106 **À ton tour, emploie** avant **et** devant **dans deux courtes phrases.**

107 **Complète par** autant **ou** maintenant.

Dans notre classe, il y a ... de filles que de garçons. — ... que vous m'avez renseigné, je trouverai mon chemin. — Le ciel est clair ... ; on peut partir. — Ce travail n'est pas long, ... le faire tout de suite. — Maman ne pensait pas que j'aurais ... de patience.

108 **À ton tour, emploie** autant **et** maintenant **dans deux phrases.**

109 **Complète par** sans **ou** quand.

Il viendra nous rejoindre ... il aura un moment de libre. — ... la sonnerie retentit, nous sortons. — L'automobile roule ... bruit. — Nous nous taquinons ... méchanceté. — Nous sommes inquiets ... l'autobus est en retard.

110 **À ton tour, emploie** sans **et** quand **dans deux courtes phrases.**

111 **Complète par** moins **ou** assez.

Les jours sont ... longs en hiver qu'en été. — Reposons-nous, nous avons ... marché pour aujourd'hui. — La récolte de maïs est ... bonne que celle de l'an dernier. — On dit que le lion est ... cruel que le tigre.

112 **Complète par** fois **ou** parfois.

Quatre ... cinq font vingt. — En vacances, il nous arrive ... d'aller à la pêche. — Mylène vient ... à l'école dans la voiture de son oncle.

113 **Complète par** autrefois **ou** toutefois.

... on voyageait en diligence. — ... on s'éclairait à la chandelle, aujourd'hui à l'électricité. — Je pense aller avec vous, ... partez si je ne suis pas là à l'heure. — Le brouillard est dense, ... les avions atterrissent normalement.

114 **Complète par** mieux **ou** beaucoup **(ou les deux).**

Il y a ... de journaux sur ce présentoir. — ... de touristes visitent les châteaux de la Loire. — Maintenant qu'il a un nouveau stylo, Yorick écrit ... . — L'artisan a ... travaillé ce mois-ci que le mois dernier.

115 **Complète par** puis **ou** depuis.

... quelques jours, il fait beau. — Je suis au cours élémentaire ... la rentrée de septembre. — Nous irons chez le boucher, ... chez le boulanger.

116 **Vocabulaire à retenir**

pendant — pourtant — devant — maintenant — dedans
parfois — autrefois — quelquefois — puis — depuis — beaucoup

17e leçon

Les mots invariables *(suite)*

Bientôt, lorsque le temps sera **plus** doux,
nous nous promènerons **à travers** la campagne.

RÈGLE

Il faut bien connaître l'orthographe des **mots invariables** :

tôt	vers	alors	au-dessus
aussitôt	envers	lorsque	au-dessous
bientôt	à travers	dehors	par-dessus
tantôt	dedans	hors	par-dessous

EXERCICES

117 Complète par tôt **ou** bientôt.

Pour être en bonne santé, il faut se lever … . — … , j'irai vous voir. — Les jonquilles fleuriront … . — Gaspard rate le train parce qu'il n'est pas parti assez … de la maison. — Nous irons … nous promener en forêt car … ce sera le printemps. — Demain, nous partirons … pour éviter les embouteillages.

118 À ton tour, emploie tôt **et** bientôt **dans deux courtes phrases.**

119 Complète par tantôt **ou** aussitôt.

… il écrit, … il lit. — L'étoile brille … que le soleil est couché. — L'arbitre siffle une faute, … les joueurs s'arrêtent. — Ce concurrent est fatigué, … il court, … il marche. — … dit, … fait. — Lorsqu'on est malade et fiévreux, on a … froid, … chaud. — Arthur m'a demandé de le rejoindre … après avoir pris mon petit déjeuner.

120 À ton tour, emploie ~~tôt **et** bientôt~~ **dans deux courtes phrases.**

121 Complète par alors, dehors **ou** lorsque.

… j'ai terminé mes devoirs, je dessine. — … la tempête fait rage, mais nous sommes bien à l'abri. — Ce problème est compliqué, … procédez avec méthode. — … le métro arrive, tout le monde se précipite vers les portes. — Il est seul à la maison, … il prend un livre. — Je reste … à attendre l'ouverture des portes du gymnase. — Je fermerai les volets … le soleil brillera. — Il est parti … que je lui avais demandé de rester. — … la nuit tombe, l'éclairage public s'allume.

122 À ton tour, emploie alors, dehors **et** lorsque **dans trois phrases.**

123 Complète par vers, envers **ou** à travers.

Soyez bons … les animaux. — Ma chienne Alva tourne son museau … moi. — Le Petit Poucet allait … les bois. — Après avoir enfilé son maillot, Viviane se dirige … la piscine. — Monsieur Grambert voulait avoir raison … et contre tous.

124 À ton tour, emploie vers, envers **et** à travers **dans trois phrases.**

125 Complète par au-dessous **ou** au-dessus.

L'avion passe … des hangars. — Nous sommes au sommet de la montagne, … de nous, les maisons des villages sont minuscules. — Le canard vole … de l'étang. — … du nom, tu écris l'adresse de ton ami. — Lorsqu'il pleut, les vaches s'abritent … des arbres. — La cave est … de la salle à manger, tandis que le toit est … d'elle.

126 À ton tour, emploie au-dessus **et** au-dessous **dans deux phrases.**

127 Complète par par-dessous **ou** par-dessus.

Monsieur Samain étale une couverture … les draps de son lit. — Le métro aérien passe … nos têtes. — Les rivières souterraines coulent … le sol. — Pour faire rire les spectateurs, le clown saute … des tonneaux remplis d'eau. — J'enfile mon anorak … mon pull-over.

128 À ton tour, emploie par-dessus **et** par-dessous **dans deux phrases.**

129 Complète par l'un des mots invariables de la leçon.

Un ruisseau coule … la prairie. — … l'hiver arrive, les chasse-neige sillonnent les routes de montagne. — … que le soleil se lève, le coq chante. — Les caramels sont les bonbons que je préfère … tout. — La lumière passe … les vitraux de la cathédrale.

130 Complète par l'un des mots invariables de la leçon.

Le monde appartient à ceux qui se lèvent … . — Le poisson s'est enfui, il est passé … le filet. — En été, il fait souvent plus frais … que … . — L'automobiliste se dirige … le sud de la France. — … je suis fatigué, je travaille moins bien. — Si je me dépêche j'aurai … fini. — Le père Noël est plein d'indulgence … les enfants ; il les gâte.

131 À ton tour, rédige un texte court avec plusieurs des mots invariables de la leçon.

132 Vocabulaire à retenir

bientôt — aussitôt — lorsque — dehors — alors — à travers

18e leçon

Le son [ɛ] : ai, ei

Je n'aurai jamais de peine pour trouver mes affaires.

RÈGLES

1. Le son [ɛ] s'écrit **ai** et quelquefois **ei** :
aurai, jamais, les affaires — la peine.

2. Il faut bien connaître l'orthographe des **mots invariables** :
Désormais, tu n'iras plus **jamais** au collège à pied **mais** en vélo.

Attention : ne confondons pas **mais** avec **mes**, qui marque le pluriel comme les ou des (les affaires, des affaires, mes affaires).

EXERCICES

133 Copie ces mots. Entoure ai **en bleu et** ei **en rouge.**

vaisselle	maison	fontaine	caisse	semaine	chaise
treize	neige	peigne	plaine	vinaigre	laine

134 Complète par un de ces verbes : saigne, flaire, renseigne, entraîne.

Le chien … la trace du lapin. — Je me suis coupé, je … . — L'hôtesse … le voyageur. — Cet ancien joueur … l'équipe de football.

135 Complète par mais, jamais **ou** désormais.

Je n'arrive … en retard à l'école. — Je voulais acheter ce livre, … il est trop cher. — La rue est en sens interdit, … il faudra faire un détour.

136 Complète par mais **ou** mes.

… parents ne sont pas là, … ils rentreront bientôt. — Ce cartable n'est pas très beau, … j'y range … livres. — J'ai fini … devoirs, … j'ai encore … leçons à apprendre.

137 Complète par ai **ou** ei.

Au Moyen Âge, le s…gneur vivait dans un château fort. — Il ne fait pas très cl…r, allume le lampad…re ! — François adore les b…gnets aux pommes. — On dit que les sorcières se déplacent à califourchon sur un bal… .

138 Fais l'exercice sur le modèle : des chiens, les chiens, mes chiens.

assiette — pantalon — crayon — ballon — chaussure — cahier.

139 Vocabulaire à retenir

la semaine — la vaisselle — la caisse — la neige — la reine — le peigne

Le son [k] : c, qu

La barque a chaviré. En attendant les secours, l'équipage reste assis en équilibre sur la coque.

RÈGLES

1. Devant **e** et **i**, le son [k] s'écrit souvent **qu** :
la barque, l'équipage, l'équilibre, la coque.

2. Devant **a**, **o** et **u**, le son [k] s'écrit souvent **c** : les secours.

Attention à quelques exceptions :
quatre, le quai, le quartier, le quotient, la piqûre…

3. Le son [k] peut aussi s'écrire **k** : le parking, le kilo, l'anorak.

EXERCICES

140 **Copie ces noms et entoure c ou qu.**

la carotte — la carte — le café — la quenelle — le casque — la colonne — la confiture — le coton — la raquette — l'attaque — la panique — le piquet — le moqueur — la boutique — le courage

141 **Complète par c ou qu.**

le pla…ard — le remor…eur — la …ampagne — la …arabine — le …ompagnon — la ré…olte — le …onseil — la pla…e — le …aramel — cra…er — l'élasti…e — comi…e — obli…e — un …adre — un …artier

142 **Complète les mots par c ou qu.**

On fait la …eue aux …aisses du supermarché. — Nous mangeons de la …ompote de pommes. — Maman regarde dans le …atalogue. — Le mousti…e bourdonne et pi…e. — Onze et …atre font …inze. — La meilleure é…ipe remporte la …oupe. — J'ai mal au …œur.

143 **Complète les mots par c ou qu.**

Les pompiers portent un …as…e. — Un splendide bou…et ré…ompense le vain…eur de la …ourse. — Tu colles une éti…ette sur ton cahier. — Pour arrêter le ho…et, il faut boire un grand verre d'eau. — Le pho…e est un animal des régions polaires.

144 **Vocabulaire à retenir**

la barque — le casque — la musique — la question
le masque — la queue

20e leçon

Les sons [z] et [s] : s et ss entre deux voyelles

Denise pose sa valise et embrasse sa cousine.

RÈGLES

1. Entre deux voyelles, la lettre s se prononce [z] :
   Denise, pose, valise, cousine.
2. Entre deux voyelles, la double consonne ss se prononce [s] :
   embrasse.

EXERCICES

145 **Écris ces noms au singulier puis au pluriel.**

la bassine — le blouson — l'ardoise — le chasseur — la caisse
la bosse — le chausson — la cuisine — la chaise — la mésange

146 **Complète par s ou ss.**

l'égli...e — le bui...on — la mou...e — le ba...in — le ra...oir
la gli...ade — la mai...on — la blou...e — le voi...in — la ca...erole

147 **Écris ces verbes à la 2e personne du singulier du présent.**

classer — tasser — visser — creuser — réviser — friser — baisser

148 **Complète par l'un de ces verbes :** arrose, blesse, amuse, pousse.

Le jardinier ... les fleurs. — Ce nouveau jeu ... les enfants. — Au printemps, l'herbe ... rapidement. — L'escrimeur ... son adversaire.

149 **Complète par s ou ss.**

un croi...ant doré — un enfant obéi...ant — un métier à ti...er — un fo...é plein d'eau — la toi...on du mouton — une boi...on chaude — une ta...e de chocolat — la ro...e des vents.

150 **Complète par s ou ss.**

La gro...e boule gri...e gli...e sur le sable. — Les poi...ons nagent dans le ba...in. — Mon oncle adore la mu...ique cla...ique. — Il a acheté une voiture d'occa...ion. — Le chat dort sur un cou...in.

151 **Vocabulaire à retenir**

la brosse — le bassin — la tasse — la chaise — la maison — le voisin

La lettre t prononcée [s]

Patiente et minutieuse, Sarah trouve la solution en posant une simple opération.

RÈGLE

La lettre t suivie de **ion**, **ien**, **ie**, **ia** se prononce souvent [s] :
pa**tien**te, minu**tie**use, la solu**tion**, l'opéra**tion**.

EXERCICES

152 Copie ces mots et entoure la lettre t prononcée [s].

la réclamation	l'action	l'invention	la portion	ambitieux
l'isolation	la nation	la position	l'aviation	impartial

153 À côté de chaque nom, écris le verbe correspondant ; entoure tion.

Exemple : la fonction → fonctionner.

l'addition   la question   la friction   la confection   la perfection

154 À côté de chaque verbe, écris le nom en -tion correspondant.

Exemple : préparer → la préparation.

fixer	inviter	finir	hésiter	soustraire
respirer	composer	planter	construire	fréquenter

155 Complète ces noms.

C'est avec satisfac...ion que le mécanicien achève la répara...ion. — Pour aller au musée, il faut descendre à la prochaine sta... de métro .— Paulin a cru voir un fantôme ; cette appari... l'a étonné.

156 Complète ces noms.

Le volcan est entré en érup...ion. — Le chat marche avec précau...ion. — Astérix boit de la po...ion magique. — Le trapéziste réalise des acroba.... — La grand-mère retrouve ses petits-enfants avec émot... .

157 Complète ces noms.

À dix heures, nous allons en récréa.... — Le résultat d'une division est le quo...ient. — Les habita...ions de ce pays sont couvertes d'ardoises. — La nata... et l'équita... sont les deux sports favoris de Magali.

158 Vocabulaire à retenir

la position — l'attention — la question — la respiration — l'opération

22e leçon

ça, ço, çu — ce, ci

Le pêcheur aperçoit un gros citron accroché à son hameçon. Déçu, il ne sait pas qui lui a fait cette farce mais il a des soupçons.

RÈGLES

1. Il faut placer une **cédille** sous le **c** (ç) devant **a**, **o**, **u** quand le **c** doit conserver le son [s] :
aperç**o**it, l'hameç**o**n, déç**u**, des soupç**o**ns.

2. Devant **e** et **i**, le c ne prend jamais de cédille :
la farc**e**, un c**i**tron.

EXERCICES

159 **Copie ces mots ; entoure le c ou le ç et souligne la voyelle qui suit.**
Exemple : la gla(c)e, un gla(ç)on.

le fiancé, les fiançailles
la Provence, provençal
la France, les Français
le commerce, un commerçant

160 **Complète ces mots par c ou ç.**

re…evoir
per…ant
grin…ant
mena…er
ger…er
balan…er
grin…er
un re..u
per…er
la balan…oire
mena…ant
les ger…ures

161 **Place correctement les cédilles oubliées.**

le calecon
la rancon
le berceau
la cigogne
le flacon
la cigale
un garcon
un remplacant
le citron
décider

162 **Complète les mots.**

Le lierre envahit la fa…ade de la maison. — Le commer…ant pose les fruits sur la balan…e. — Le canard avale un lima…on. — J'adore la salade ni…oise. — Le lion…eau dort près de la lionne.

163 **Complète les mots.**

Pour les détails, le peintre utilise un pin…eau très fin. — Le méde…in soigne les malades. — Fran…ois ré…ite sa le…on de fran…ais. — Le chien de garde a des crocs mena…ants.

164 **Vocabulaire à retenir**

la leçon — le glaçon — le garçon — un commerçant — un remplaçant

ge, gi, gy [ʒ]

Il neige en rafales, les élèves se réfugient dans le gymnase.

RÈGLE

1. Devant **e**, **i**, **y**, on écrit presque toujours **g** pour entendre le son [ʒ] : la nei**ge**, se réfu**gi**ent, le **gy**mnase.

2. Attention à quelques exceptions devant le **e** :
tra**je**t, ob**je**t, **je**udi, dé**je**uner.

EXERCICES

165 Copie ces noms ; entoure ge et gi.

le genou	le régiment	le nuage	le givre	le geste
la gencive	la luge	l'éponge	le gibier	la rage
l'énergie	l'étage	le piège	le gigot	le bagage

166 Complète avec ge ou gi.

Les moutons rentrent dans la ber…rie. — Adrien a déchiré son …let neuf. — Le dompteur pénètre dans la ca… aux fauves. — Grâce à son long cou, la …rafe se nourrit des feuilles des arbres.

167 Complète ces mots.

Il a plu, Marguerite patau…e dans la boue. — Monsieur Depoule emména…e dans un lo…ement neuf. — Le gara…iste a chan…é les bou…ies du moteur. — L'a…ent nous indique la direction du villa…e.

168 Écris les verbes à la 1re personne du singulier du présent.

manger — changer — voyager — plonger — corriger.

169 Complète ces mots avec g ou avec j. Consulte un dictionnaire.

le …endarme	la …ambe	…uste	la pla…e	…oli
la …ifle	la …ument	le …ouet	le dan…er	la nei…e

170 Complète ces mots avec j ou g. Consulte un dictionnaire.

Chaque …eudi, nous allons au …ymnase pour …ouer au basket. — Cet ob…et est trop lourd, …e ne peux pas le déplacer. — Tout au long du tra…et, tu peux admirer le paysa…e.

171 Vocabulaire à retenir

le linge — la girafe — rougir — le courage — l'argent — la gifle

gea, geo [ʒa], [ʒo]

Mangeons des gâteaux et reprenons de l'orangeade !

RÈGLE

Devant **a** et **o**, il faut mettre un e après le **g** pour obtenir le son [ʒ] : l'orang**e**ade, nous mang**e**ons.

EXERCICES

172 Copie ces noms et entoure gea et geo.

le pigeon — la nageoire — le bourgeois — le bourgeon — Georgina
la vengeance — la mangeoire — le villageois — le pigeonnier — Georgette

173 S'il y a lieu, complète ces mots avec un e.

le g...âteau — le g...orille — le boug...oir — le g...olfe
la démang...aison — roug...aud — la g...irafe — le rég...ime

174 S'il y a lieu, complète ces mots avec un e.

Le peintre badig...onne les murs du g...arage. — Au printemps, les marronniers se couvrent de bourg...ons. — C'est avec les œufs d'esturg...on que l'on fait le caviar. — En mélang...ant le bleu et le jaune, on obtient du vert. — G...offroy adore le chocolat liég...ois. — En ménag...ant le moteur de sa voiture, on peut aller loin.

175 S'il y a lieu, complète ces mots avec un e.

Le g...ai est un oiseau qui s'apprivoise facilement. — Les mang...oires des chevaux sont pleines d'avoine. — Dans le pays ariég...ois, on rencontre encore des berg...rs solitaires. — Il existe un vaccin contre la roug...ole. — Nous encourag...ons notre équipe.

176 S'il y a lieu, complète ces mots avec un e.

Les flag...olets sont des haricots. — Le policier espère découvrir la vérité en interrog...ant les témoins. — Cette viande trop cuite est immang...able. — En song...ant à chacun de ses copains, G...orges retrouve le sourire.

177 Écris ces verbes à la 1re personne du pluriel du présent.

manger — nager — ranger — plonger — partager.

178 Vocabulaire à retenir

le pigeon — le plongeon — la nageoire — le bourgeon — la vengeance

Le son [j] : ill ou y

La grenouille saute de caillou en caillou.

RÈGLES

1. Lorsqu'on entend le son [j], la lettre i reste attachée aux deux l : grenou-ille, ca-illou.

2. Le son [j] peut aussi s'écrire avec un y : joyeuse.
Il est prudent de vérifier l'orthographe de ces mots dans un dictionnaire.

Attention à certains mots où l'on n'entend pas [j] mais où la consonne l est doublée : la **ville**, tranqui**lle**, mi**lle**, mi**ll**iard.

EXERCICES

179 Écris ces noms au singulier, puis au pluriel.

le paillasson — la grenouille — le noyau — le voyage — la groseille
le foyer — le tailleur — le ferrailleur — la citrouille — le rayon

180 Complète par un de ces verbes : pétille, fouille, s'habille, éparpille, mouille.

Le vent souffle et … les feuilles mortes. — Le feu … dans la cheminée. — Annie … chaudement car il fait froid. — Jacques … dans son coffre à jouets. — Il pleut, il …, c'est la fête à la grenouille !

181 Conjugue les verbes au présent : crayonner, veiller.

182 Écris ces verbes à la 1re personne du pluriel du présent.

essayer — batailler — essuyer — travailler — briller — payer — envoyer

183 Copie ces mots et entoure ill **en rouge et** y **en bleu.**

bouillir : du bouillon, de la bouillie, une bouillotte, une bouilloire.
rayer : un tissu rayé, des rayures, un rayon, rayonner, des rayonnages.

184 Complète par ill **ou** y**.**

Je ta…e mon cra…on au-dessus de la corbe…e à papier. — Le pap…on vole de fleur en fleur. — En hiver, le brou…ard cache le paysage. — Je ramasse des coqu…ages. — Il bâ…e d'ennui.

185 Vocabulaire à retenir

la paille — le papillon — la corbeille — le voyage — le crayon — joyeux

26e leçon

La lettre finale d'un nom ou d'un adjectif

Le gros chat blanc fait un bond sur le toit.

RÈGLE

Pour trouver la lettre finale d'un nom ou d'un adjectif, on peut essayer de former son féminin ou chercher un mot de la même famille :

gros → grosse | le chat → la chatte | blanc → blanche
un bond → bondir | le toit → la toiture.

EXERCICES

186 Entoure la dernière lettre de ces noms et écris le féminin.
Exemple : le clien(t) → la cliente.

le marchand	le campagnard	un habitant	un marquis	un Chinois
le renard	le villageois	un étudiant	un vagabond	un Français

187 Entoure la dernière lettre de ces adjectifs, et écris le féminin.
Exemple : for(t) → forte

grand	savant	parfait	petit	court	plat	laid	épais
lourd	blond	franc	gras	bas	adroit	gris	bavard

188 Entoure la dernière lettre de ces noms. Après chacun d'eux, écris le verbe correspondant. *Exemple* : un bon(d) → bondir.

le regard	un accroc	un tricot	le récit	le parfum	un éclat
le galop	un saut	un chant	le gigot	l'écart	le débarras

189 Entoure la dernière lettre de ces noms. Après chacun d'eux, écris un mot de la même famille. *Exemple* : un abrico(t) → l'abricotier.

le lard	le drap	le permis	le confort	une part	le paradis
le lit	le dos	le plomb	le camp	un bras	l'intrus

190 Complète le dernier mot avec la lettre qui convient.
Exemple : le rangement, ranger → le rang.

l'outillage, l'outilleur, outiller → l'outi…
la pédale, le pédalier, pédaler → le pie…
le porcelet, la porcherie, le porcher → le por…

191 Vocabulaire à retenir

le drap — le renard — le marchand — bavard — long — épais

Noms en -ent

Sous les applaudissements du public, le fakir a saisi le serpent d'un mouvement rapide.

RÈGLES

1. Beaucoup de noms qui se terminent par le son [ɑ̃] s'écrivent **-ent** :
   l'applaudissement, le serpent, le mouvement.
2. **Attention**, il y a des exceptions :
   l'enf**ant**, l'éléph**ant**, le diam**ant**, l'inst**ant**,
   l'océ**an**, le div**an**, le march**and**.

EXERCICES

192 Copie ces noms et entoure la terminaison -ent.

la dent	l'accident	le parent	le médicament	l'élément
le client	le président	le régiment	le logement	l'instrument
l'agent	le règlement	l'argent	l'équipement	le moment

193 Écris un nom en -ent correspondant à chaque verbe.
Exemple : siffler → le sifflement.

trembler	placer	frotter	grogner	assaisonner	rouler
entraîner	amuser	habiller	gonfler	miauler	grincer

194 Complète ces noms.
L'arc de triomphe de l'Étoile est un beau monum... — Le maçon ouvre un sac de cim... . — Emporté par le v..., le toit du bâtim... se retrouve au milieu de la cour. — Le conducteur freine pour éviter l'accid... .

195 Complète ces noms. Attention aux accords.
Il ne faut pas jeter n'importe où les récipi... en plastique. — La voûte azurée du ciel s'appelle le firmam... . — Lorsque tu écris, n'oublie pas les acc... . — On dit que les abs... ont toujours tort.

196 Complète par un de ces noms : diamant, instant, éléphant, océan.
L'... d'Afrique a des oreilles plus grandes que celui d'Asie. — Ce marin a traversé l'... Atlantique à la rame. — Les aventuriers sont à la recherche d'un ... vert. — L'entraîneur ne laisse pas un ... de repos à ses joueurs.

197 Vocabulaire à retenir
le serpent — le client — l'agent — la dent — le parent — le vêtement

28e leçon

Noms en -eau, -au, -aud, -aut…

Le clown porte un chapeau vert et un manteau rouge.

RÈGLE

Un certain nombre de noms qui se terminent par le son [o] s'écrivent -eau : un chapeau, un manteau.

Attention, il existe d'autres terminaisons :
un noyau, un crapaud, un défaut, une faux…

EXERCICES

198 Copie ces noms et entoure la terminaison -eau.

chapeau moineau panneau niveau ciseau berceau
anneau roseau plateau ruisseau cerceau écriteau

199 Complète par -eau, -aux, -aud, -aut ou -au. Consulte un dictionnaire.

le cout… le joy… le crap… un réch… la f… le cerv…
le rad… un poir… un surs… un rât… un fus… un taur…

200 Complète sur le modèle : un manteau de laine.

le mus… du v… — un seau d'… — le drapeau du bat… — un morceau de gât… — un oiseau sur le pot… — une peau de cham… .

201 Complète par -eau ou -au.

Le directeur de l'école est dans son bur… — Un ruiss… coule dans la prairie. — Un corb… niche dans le peuplier. — La cerise est un fruit à noy… . — L'… circule dans le tuy… .

202 Écris les noms au pluriel. *Exemple* : un oiseau → des oiseaux.

un cadeau un niveau un assaut un tableau un crapaud
un rouleau un moineau un vaisseau un artichaut un hameau

203 Complète avec un nom en -eau.

Une prune séchée est un … . — Le bébé dort dans son … . — Le vigneron tire le vin du … pour le mettre en bouteilles. — Pour enfoncer les clous, on utilise un … . — Le pirate porte un … sur l'œil droit.

204 Vocabulaire à retenir

le morceau — le plateau — le bateau — un couteau — un seau d'eau
un noyau — un tuyau — le préau

Noms en -ot, -os, -op, -oc, -o

Paul a fait un accroc au dos de son maillot,
déjà couvert de sirop et de taches d'encre de stylo.

RÈGLES

1. Des noms terminés par le son [o] s'écrivent -ot ou -os :
le maillot, le dos.
Quelques-uns s'écrivent -oc ou -op : un accroc, le sirop.

2. Il est parfois possible de trouver la dernière lettre à l'aide d'un mot de la même famille :
accroc → **accroc**her dos → le **dos**sier

3. D'autres noms terminés par le son [o] s'écrivent -o :
un piano, un numéro, un stylo.

EXERCICES

205 Copie ces noms masculins et souligne les terminaisons.

sabot	robot	flot	grelot	complot	matelot	canot
escargot	chariot	cachot	fagot	paquebot	cageot	cahot

206 Souligne la dernière lettre du nom et cherche un verbe de la même famille. *Exemple* : un rabot → raboter.

un tricot un sanglot le repos le galop le trot un pivot

207 Souligne la dernière lettre du nom et cherche un nom de la même famille. *Exemple* : un sot → une sottise.

un propos un lot le dos l'abricot le pot un escroc

208 Complète ces noms. Consulte un dictionnaire.

Je bois un verre de sir... de menthe. — Le coquelic... se fane vite, une fois cueilli. — Monsieur Dubois commande du gig... avec des haric... blancs. — Le chien a de solides cr... . — Ali joue du pian... .

209 Complète ces noms. Consulte un dictionnaire.

Le nombre 120 se termine par un zér... . — Le carrossier change le cap... de la voiture accidentée. — Je me lave les mains au lavab... .

210 Vocabulaire à retenir

le robot — le maillot — le repos — le numéro — le lavabo — le piano

30e leçon

Noms en -ail, -eil, -euil et en -aille, -eille, -euille

Tends l'or**eille**, dit la **feuille** à l'écur**euil**.

RÈGLES

1. Les noms masculins en **-ail**, **-eil**, **-euil** se terminent par **l** :
le dét**ail**, le sol**eil**, l'écur**euil**.

2. Les noms féminins en **-aille**, **-eille**, **-euille** se terminent par **lle** :
la bat**aille**, l'or**eille**, la **feuille**.

Attention, on écrit **le** chèvre**feuille** et **le** porte**feuille**.

EXERCICES

211 Complète par un **ou** une **; souligne les terminaisons.**

… paille	… marmaille	… appareil	… veille	… chevreuil
… autorail	… canaille	… orteil	… groseille	… portefeuille

212 Complète sur le modèle : une corbeille de fruits.

une bouteille de … — le portail de … — une feuille de … — une médaille en … — le vitrail de l'… — une taille de … — le seuil de … — le conseil d'… — l'attirail du … .

213 Complète les noms par l **ou** lle.

du bétai…	la mervei…	le corai…	un écureui…	le révei…
une volai…	une écai…	le deui…	la ferrai…	la batai…
le solei…	l'osei…	le bouvreui…	la cai…	le fauteui…

214 Complète les noms.

Le marin dirige le bateau à l'aide du gouvern… . — L'écur… mange des noisettes. — Les broussai… envahissent les rocai… du jardin de monsieur Bresson. — Les rai… du chemin de fer brillent au sol… .

215 Complète les noms.

L'ab… butine de fleur en fleur. — Les mites ont rongé quelques mai… du chandai… . — Enlever toutes les éca… de ce poisson : quel trav… ! — Rachid tombe de somm… .

216 Vocabulaire à retenir

le détail — le soleil — le fauteuil — la volaille — l'oreille — une feuille

Noms en -et et en -aie

Avec mon billet de 50 francs, j'ai acheté une craie et un carnet. La caissière m'a rendu la monnaie.

RÈGLES

1. Certains noms masculins terminés par le son [ɛ] (è) s'écrivent **-et** :
le billet, le carnet.

Attention, il y a de nombreuses exceptions :
le **lait**, le portr**ait**, le qu**ai**, le pon**ey**, le pal**ais**…
Il est prudent de vérifier l'orthographe dans un dictionnaire.

2. Les noms féminins terminés par le son [ɛ] (è) s'écrivent **-aie** :
la craie, la monnaie.

Attention à deux exceptions : la p**aix**, la for**êt**.

EXERCICES

217 Complète par le **ou** la **; entoure la terminaison -**et **ou -**aie.

jouet	plaie	chalet	haie	alphabet	lacet
buffet	tabouret	baie	piquet	ticket	sifflet

218 Complète sur les modèles :

Un agnelet est un petit agneau.
Un bâtonnet … . — Un porcelet … . — Un garçonnet … .
Une châtaigneraie est un lieu planté de châtaigniers.
Une roseraie … . — Une palmeraie … . — Une oliveraie … .

219 Complète les noms.

Le dompteur fait claquer son fou… . — Nicolas a offert un bouqu… d'œill… à sa mère. — Le cycliste est tombé, il a une pl… au moll… . — Je porte un paqu… lourd. — J'écris au tableau avec de la cr… . — La r… est un poisson de mer, très plat.

220 Complète par un de ces noms : quai, poney, portrait, lait, paix, forêt.

Le cerf, le chevreuil sont des habitants de la … . — Ces élèves batailleurs font enfin la … . — Le matin, Jordi boit un verre de … . — Les voyageurs attendent le TGV sur le … n° 2. — Je fais le … de mon … au galop.

221 Vocabulaire à retenir

le fouet — le poignet — le bouquet — la craie — la plaie — la haie

32e leçon

Noms en -eur

Le dompteur n'a peur ni des lions ni des tigres.

RÈGLE

Les noms masculins et féminins terminés par le son [œʀ] s'écrivent le plus souvent -**eur** : dompt**eur**, p**eur**.

Attention, on écrit :
le b**eurre**, la dem**eure**, l'h**eure**, le c**œur**, la s**œur**.

EXERCICES

222 Complète par le ou la ; entoure la terminaison -eur.

… faveur	… douceur	… mineur	… cœur	… boxeur
… voleur	… râleur	… couleur	… sœur	… confiseur
… joueur	… valeur	… moteur	… douleur	… tricheur

223 Complète les noms avec -eur, -eure, -eurre.

le chant…	le remorqu…	le vis…	la dem…	le ramon…
la vap…	la liqu…	l'act…	le doct…	l'hum…
le fum…	l'h…	le b…	la fraîch…	la chal…

224 Complète les noms.

Le cour… pédale fort, il est tout en su… . — Le camp… installe sa tente, il s'affaire avec ard… . — Je broie la soupe de légumes au mix… . — Une délicieuse od… de tarte aux pommes s'échappe de la cuisine.

225 Complète les noms.

Je demande au vend… une plaque de b… salé. — Les côtés du rectangle s'appellent la longu… et la larg… . — Lucas a le visage couvert de taches de rouss… . — Le ski… et le surf… dévalent la piste.

226 Complète les noms.

Le fact… distribue le courrier. — Kévin a fait une err… dans son opération. — L'aviat… vérifie le bon fonctionnement de son mot… . — L'escargot avance avec lent… . — On dit que le malh… des uns fait le bonh… des autres. — Le pêch… relève ses filets.

227 Vocabulaire à retenir

la fleur — le joueur — la chaleur — la sœur — le cœur — l'heure
la hauteur — la longueur — la profondeur — l'épaisseur

Noms en -oir et en -oire

Matthieu sort de la baignoire et enfile son peignoir.

RÈGLES

1. Les noms masculins terminés par le son [waR] s'écrivent souvent -**oir** : le peign**oir**, le dev**oir**, le s**oir**.

Quelques-uns s'écrivent -**oire** : le laborat**oire**, le territ**oire**.

2. Les noms féminins terminés par le son [waR] s'écrivent toujours -**oire** : la baign**oire**, l'hist**oire**.

EXERCICES

228 **Complète par** un **ou** une**. Entoure la terminaison** -oir **ou** -oire**.**

manoir	armoire	poire	mouchoir	comptoir	passoire
victoire	patinoire	miroir	désespoir	nichoir	abattoir

229 **Écris le nom en** -oir **ou en** -oire **correspondant à chaque verbe.**
Exemple : presser, le pressoir.
sauter — baigner — mâcher — sécher — balancer — semer — rôtir — remonter — tirer — nager.

230 **Complète les noms.**
Le perroquet se démène sur son perch... . — Cette voiture est mal garée car elle est sur le trott... . — Le bureau du directeur se trouve au bout du coul... . — Quand le s... descend, les cavaliers mènent leurs chevaux à l'abreuv... . — Il reste un esp... d'arriver à l'heure.

231 **Complète les noms.**
Mon père achète une arm... ancienne à la f... à la brocante. — Le poulet cuit dans la rôtiss... . — Enfermé dans son laborat..., le savant poursuit ses recherches. — Le garagiste remplit le réserv... d'essence.

232 **Complète les noms.**
Adeline a une bonne mém... . — Couvert de gl... , le champion rentre dans son pays. — Papa se sert d'un ras... électrique. — Le jardinier, portant un arros... et un plant... , va dans le potager.

233 **Vocabulaire à retenir**
le mouchoir — le miroir — le rasoir — l'histoire — la baignoire

34e leçon

Noms masculins en -er, -ier et -é

Le jardinier taillera le pêcher, les trois poiriers et les pommiers du verger. Il en cueillera les fruits cet été.

RÈGLE

Les noms masculins terminés par le son [e] s'écrivent souvent -er :
le jardinier, le poirier, le pommier, le pêcher, le verger.

Attention, quelques noms s'écrivent -é : l'été, le blé, le pré…

EXERCICES

234 Copie ces noms en plaçant devant chacun d'eux un article.

tablier	gravier	goûter	grenier	lever	papier
panier	quartier	dîner	collier	déjeuner	oreiller

235 À côté de chaque nom, écris le nom de l'arbre ou de la plante.
Exemple : le citron → le citronnier.

la fraise	la banane	l'olive	la cerise	la framboise	la noisette
la rose	la prune	l'amande	l'orange	l'abricot	la noix

236 À côté de chaque nom, écris le nom en -ier **correspondant ; écris aussi le nom féminin.** *Exemple* : l'école → l'écolier → l'écolière.

le lait   la caisse   la banque   la ferme   la cuisine   la glace

237 Complète les noms.

Le lapin se cache dans son terr… . — Cette escalade est sans dang… . — À minuit, Cendrillon a perdu son soul… . — Le petit sent… se perd dans les bois. — L'ascenseur est en panne, je monte par l'escal… .

238 Trouve trois noms d'arbres et cinq noms de métiers terminés par -ier.

239 Copie ces noms en plaçant devant chacun d'eux un article.

blé — congé — fossé — énoncé — bébé — curé — pré — pavé.

240 Complète les noms.

Nous irons au march… . — J'ai acheté du pât… chez le charcut… . — Au petit déjeun… , papa boit du caf… au lait et maman du th… .

241 Vocabulaire à retenir

le plancher — l'escalier — le collier — le café — le pâté — le fossé

Noms féminins en -ée

Lorsque la marée se retire,
une armée de curieux cherche des coquillages.

RÈGLE

Les noms féminins en [e] (é), qui ne se terminent pas par les syllabes **tié** ou **té**, s'écrivent toujours -ée : la marée, l'armée.

Seule exception : la clé (sans e).

EXERCICES

242 Complète avec la **ou** une **; entoure la terminaison -**ée.

buée	idée	veillée	giboulée	vallée	épée
entrée	bouée	mosquée	dragée	coulée	pensée
poignée	allée	corvée	mêlée	ondée	poupée

243 Écris le nom féminin en -ée **correspondant à chaque nom.**
Exemple : une arme → une armée.
le soir — le matin — le four — l'an — le jour — le destin

244 Complète sur le modèle : une pincée de sel.
une rangée de … — une bouchée de … — une gorgée d'… .

245 Complète les noms.
L'araign… tisse sa toile. — Les coureurs ne sont pas loin de l'arriv… . — Le facteur termine sa tourn… à midi. — Un panache de fum… noire sort de la chemin… de l'usine. — Je mets une pinc… de sel sur mes frites.

246 Complète les noms.
Au printemps, la gel… tardive brûle les fleurs. — La chicor… est une salade un peu amère. — Sous la pouss… du vent, les arbres plient. — La fus… s'élève dans les airs. — Les joueurs entrent dans la mêl… .

247 Complète les noms.
Grâce à la f… , sa marraine, la Belle au bois dormant ne mourut pas. — À la tomb… de la nuit, les ouvriers posent une barrière autour de la tranch… .— Jérémie est pressé, il marche à grandes enjamb… .

248 Vocabulaire à retenir
la soirée — une idée — la fumée — la poupée — l'année — la journée

36e leçon

Noms féminins en -té et en -tié

La solidité de notre amitié étonne tout le monde.

RÈGLE

Les noms féminins en -té et en -tié s'écrivent généralement sans e final : la solidité, l'amitié.

Exceptions :

1. La dictée, la montée, la jetée, la portée.
2. Les noms exprimant le contenu : une assiettée, une brouettée...

EXERCICES

249 **Complète par** la **ou** une **; entoure la terminaison -**té **ou -**tié**.**

pauvreté	utilité	santé	qualité	fermeté	moitié
gaieté	extrémité	volonté	quantité	charité	amitié
variété	infirmité	réalité	brutalité	capacité	pitié

250 **Écris le nom féminin en -**té **correspondant à chaque adjectif.**

Exemple : propre, la propreté.

rare — habile — timide — fragile — facile — sale — méchant — rapide.

251 **Complète les noms.**

La vérit... , c'est que je mange trop de bonbons ! — Le nombre quinze comprend une dizaine et cinq unit... . — La clart... de l'eau donne envie de s'y plonger. — Marjorie a déjà lu la moiti... de son livre.

252 **Complète les noms.**

L'agilit... de ce petit singe est étonnante. — Le papillon vole avec légèret... . — Les maisons et les rues sont éclairées à l'électricit... . — *Libert... , égalit... , fraternit...* est la devise de la République française.

253 **Complète les noms.**

une assiett... de potage — une brouett... de sable — une pellet... de terre.

254 **Complète les noms par -**é **ou -**ée**.**

une flamb...	la méchancet...	l'humidit...	la pes...	la mar...
la curiosit...	la rapidit...	une matin...	la tranquillit...	la jet...

255 **Vocabulaire à retenir**

la santé — la vérité — la qualité — la beauté — la dictée — la montée

Noms féminins en -ie

La colonie de vacances est de sortie : les enfants visitent la laiterie et la fromagerie du village.

RÈGLE

Les noms féminins qui se terminent par le son [i] s'écrivent **-ie** :
la colonie, la sortie, la laiterie, la fromagerie.

Attention, on écrit :
la sour**is**, la breb**is**, la perdr**ix**, la fourm**i**, la nu**it**.

EXERCICES

256 **Complète par** la **ou** une **; entoure la terminaison -**ie.

pie	sonnerie	colonie	bougie	scie	épidémie
pluie	mairie	loterie	poulie	sortie	blanchisserie
garderie	prairie	gendarmerie	comédie	ortie	horlogerie

257 **Écris le nom en -**ie **correspondant à chaque nom.**

Exemple : l'horloger → l'horlogerie.
le maire — la boulangère — le charcutier — le boucher — le libraire.
Exemple : le malade → la maladie.
le parfum — la camarade — la bergère — le sucre — le poisson — le lait.

258 **Écris le nom en -**ie **correspondant à chaque adjectif.**

Exemple : étourdi → l'étourderie.
jaloux — myope — rêveur — mélodieux — économe — énergique.

259 **Complète les noms.**

Jules et Jim ont fait une bonne parti... de cartes. — Le train est arrivé, les voyageurs se dirigent vers la sorti... . — À la fête foraine, il y a une loteri..., une confiseri... et, plus loin, un petit cirque avec sa ménageri... .

260 **Complète les noms.**

La nui... tous les chats sont gris. — La fable affirme que la fourm... est travailleuse et économe. — Le roquefort est un fromage fabriqué avec du lait de brebi... . — La perdri... se cache dans les blés. — La souri... gourmande sera prise au piège.

261 **Vocabulaire à retenir**

la pluie — la vie — la sortie — la fourmi — la souris — la nuit

38e leçon

Noms féminins en -ure et en -ue

La voiture rouge est garée dans la rue.

RÈGLES

1. Les noms féminins qui se terminent par le son [yʀ] (ure) s'écrivent tous -ure : la voiture, l'allure.

2. Les noms féminins qui se terminent par le son [y] (u) s'écrivent souvent -ue : la rue, la grue.

EXERCICES

262 Complète par la ou une ; entoure la terminaison -ure.

ceinture nature figure serrure couture température
chevelure aventure chaussure fourrure peinture fermeture

263 Complète par la ou une ; entoure la terminaison -ue.

massue verrue retenue crue bienvenue
étendue entrevue morue fondue revue

264 Écris le nom en -ure correspondant à chaque verbe.

Exemple : éplucher → une épluchure.

coiffer blesser déchirer égratigner border
brûler mesurer doubler écorcher garnir

265 Complète les noms.

La toit... de la maison est en tuiles. — Tu regardes la couvert... de ton livre de lectu... . — Léonie préfère la confit... de fraises à celle d'abricots. — Au passage du camion, j'ai reçu des éclabouss... . — Les piqû... des moustiques sont désagréables. — Le pilote a une bonne v... . — Nous serons bientôt arrivés car nous allons à bonne all... .

266 Complète les noms.

Le maraîcher vend de belles lait... . — La tort... fit la course avec le lièvre. — Une aven... est une r... très large, bordée d'arbres. — Monsieur Henri porte un pantalon déchiré : quelle ten... ! — On annonce la ven... des joueurs. — Les chevaliers du Moyen Âge portaient de lourdes arm... . — De belles stat... ornent les allées du jardin public.

267 Vocabulaire à retenir

la peinture — la voiture — la figure — la grue — la statue — la rue

268 Complète par l'un de ces verbes : tourne, barbote, récolte, porte.

Le canard … dans la mare. — Le manège … vite. — Le déménageur … une lourde caisse. — On … les noix en automne.

269 Emploie pour **et** toujours **dans deux courtes phrases.**

270 Complète avec un mot où l'on entend le son [wa] (oi).

Une petite … brille dans le ciel. — La … est le fruit du poirier. — Le vent gonfle la … du bateau. — Mon oncle remplace les tuiles abîmées du … de sa maison. — La bergère espère épouser un … .

271 Emploie très, trop **et** près **dans trois courtes phrases.**

272 Complète avec un mot où l'on entend le son [u] (ou).

La girafe a un long … — L'auto file sur la … à grande vitesse. — Papa recoud un … de sa chemise. — Marius a lancé sa … tout près du cochonnet. — La … tourne et s'arrête face au numéro 8.

273 Emploie sous **et** sur **dans deux courtes phrases.**

274 Complète avec un mot où l'on entend le son [ɔ̃] (on).

Je me lave les mains avec du … . — Bébé pleure car c'est l'heure de son … . — Maman a cassé le … de sa chaussure. — Le garagiste verse un … d'huile dans le moteur de la voiture.

275 Écris les verbes à la 2e personne du singulier au présent.
Exemple : toucher le plafond → Tu touches le plafond.

trébucher et tomber — marcher d'un pas rapide — gagner des billes — saigner du nez — cogner à la porte — chasser les mouches — aligner des chiffres — chercher la solution.

276 Écris les verbes de l'exercice 275 à la 2e personne du pluriel au présent. *Exemple* : Vous touchez le plafond.

277 Emploie chez **et** chaque **dans deux courtes phrases.**

278 Emploie longtemps **et** ensemble **dans deux courtes phrases.**

279 Copie ces mots et entoure mb, mp.

la jambe, le jambon, le jambonneau, enjamber — compter, le compteur, le comptoir, la comptabilité — sembler, assembler, rassembler, ressembler, semblable.

280 Emploie trois mots de l'exercice 279 dans trois phrases.

Révision

281 Écris à la 3e personne du singulier, puis à la 3e personne du pluriel.

Lorsque je traverse la rue, je fais très attention à la circulation. — Lorsque tu dessines, tu portes des lunettes.

282 Copie ces phrases et souligne le mot comme**.**

Le linge est blanc comme la neige. — Annabelle s'applique, voyez comme son cahier est soigné ! — Comme il arrivait au village, la pluie s'arrêta.

283 Emploie comme **dans une courte phrase.**

284 Fais l'exercice sur le modèle :

Comment s'appelle une petite maison ? la maison → la maisonnette.

la boule	la chemise	la fille	la chèvre	la chanson
la cloche	la planche	la cuve	la hache	la pince

285 Copie ces expressions et entoure en **en rouge.**

une montre en or — une timbale en argent — un sac en cuir — une chambre en ordre — être fort en mathématiques — une statue en marbre.

286 Des cédilles ont été oubliées.
Copie les mots en plaçant correctement les cédilles.

Pour ma fête, j'ai recu un livre. — Christophe est décu, ses amis ne viendront pas le voir. — Le feu pétille et lance des étincelles. — L'aigle a des yeux percants. — Ce télésiège est concu pour transporter quatre personnes.

287 Complète par ill **ou** y**. Consulte un dictionnaire.**

Tu bois ta grenadine avec une pa...e. — La chen...e dévore les feu...es. — Sonia commence son exercice au brou...on. — Le frère d'Éric est au cours mo...en. — Le chat a des poils so...eux.

288 Lis les mots d'une même série et complète le dernier avec la lettre qui convient.

Exemple : profonde, la profondeur, approfondir → profond
longue, la longueur, allonger → lon...
la ronde, la rondelle, arrondir → ron...
le champagne, le champignon, champêtre → le cham...
le patineur, patiner, la patinoire → le pati...

289 À côté de chaque verbe, écris un nom en -ent **correspondant, puis complète ce nom sur le modèle :**

bourdonner → le bourdonnement de la mouche.
rouler — grincer — ronfler — hurler — gémir.

290 **Trouve six noms en -ent et emploie-les dans de courtes phrases.**

291 **Sur le modèle :** le petit du mouton s'appelle un agneau, **dis comment on appelle :**

le petit du renard ? — de la perdrix ? — de la pintade ? — du dindon ? — de la chèvre ? — du lion ?

292 **Copie ces noms.**

cacao zéro domino studio métro bravo

293 **Complète les noms.**

Le skieur porte un bonn... de laine. — Les oiseaux nichent dans la h... du jardin. — Les histoires d'Astérix se terminent toujours par un grand banqu... . — Béatrice porte un bracel... et une montre au poign... .

294 **Complète les noms.**

Il achète un tick... au guich... de la station de métro. — Tu nous as fait de bons beign... de courgettes. — Le menuisier pose le parqu... . — L'eau chaude coule du robin... . — Ma sœur change la t... de son oreiller. — Utilise mieux ta pag... , le canoë ira plus vite.

295 **Complète sur le modèle :** la cruauté du tigre.

la beauté ... — la bonté ... — la férocité ... — la limpidité ... — la sévérité ... — la fidélité ... .

296 **Écris le nom en -ie correspondant à chaque adjectif.**

Exemple : idiot → l'idiotie.

magique — fou — harmonieux — poétique — comique — soyeux.

297 **Écris le nom en -ie correspondant à chaque verbe.**

copier — pleuvoir — sortir — saisir — agonir — envier — vivre.

298 **Complète les noms.**

Le menuisier coupe la planche avec sa sci... électrique. — La plui... tombe sans arrêt. — J'ai fait une promenade en compagni... de plusieurs camarades. — Elle m'a donné une photocop... couleur de son beau dessin.

299 **Complète les noms.**

De belles stat... ornent les allées du jardin public. — J'ai cassé ma clé dans la serr... : comment vais-je ouvrir la porte ? — Le pilote a une bonne v... : heureusement !

Grammaire

39e leçon

La phrase. Le point. La majuscule.

Vincent, Damien et moi, nous suivons des cours de guitare. Notre professeur, madame Valéra, nous donne toujours de bons conseils. Nos progrès sont rapides.

RÈGLES

1. Une phrase commence toujours par une majuscule et se termine par un point quand il s'agit d'une phrase déclarative :
   Nos progrès sont rapides.
2. Les noms propres commencent par une majuscule :
   Vincent, Damien, Valéra.

EXERCICES

300 Copie ce texte en mettant les majuscules oubliées.

le ciel est plein d'étoiles. les rues sont désertes. on n'entend pas un bruit. chacun se repose. la ville s'endort lentement.

301 Copie ce texte en mettant les majuscules aux noms propres.

Tu invites tania, virginie et justine à passer l'après-midi chez toi. Ton petit chien jappy jouera un moment avec vous. Le soir, vous regarderez le film des aventures de bernard et bianca.

302 Copie ce texte en mettant les majuscules oubliées.

monsieur fox garde des chiens pendant les vacances. grégory lui rend souvent visite. il l'aide à soigner les animaux dont il connaît les noms par cœur. le petit noir s'appelle nicky, le lévrier caramel et le boxer tarzan.

303 Copie ce texte en mettant les majuscules oubliées.

au pied de la colline, les tentes s'alignent sur trois rangées. le camp ressemble au petit village de fleurville. le moniteur, victor mondolini, veut que les sacs de couchage soient aérés tous les matins ; il a bien raison.

304 Copie ce texte en mettant les majuscules oubliées.

la fête bat son plein. les manèges tournent. les musiques résonnent. camille joue l'acrobate pour attirer les badauds. je vois, j'entends tout cela de ma fenêtre ; mais je n'irai pas à la fête, car je tousse.

305 Vocabulaire à retenir

jouer — dormir — soigner — entendre — prendre — rendre

Le nom

Le chasseur prend son fusil et s'éloigne,
accompagné de son chien.

RÈGLE

Les mots qui désignent des personnes, des animaux ou des choses sont des noms.

Le mot **chasseur** désigne une personne.
Le mot **chien** désigne un animal.
Le mot **fusil** désigne une chose.

EXERCICES

306 Copie ce texte. Souligne les noms.

C'est la rentrée : les jeunes garçons et les fillettes retournent à l'école. Dans leur cartable neuf, ils ont des cahiers, des crayons et des stylos, une règle, une gomme, un taille-crayon, une ardoise et un tube de colle. Des mamans et des papas accompagnent leurs enfants. Même Jeannot, le chien de Louis, suit la petite troupe.

307 Copie ce texte. Souligne les noms de personnes en rouge, les noms d'animaux en bleu, les noms de choses en vert.

Lorsqu'il va chez le boucher, mon père n'oublie jamais de demander des morceaux de viande pour notre petit chat. Au supermarché, on trouve aussi dans les rayons tout ce qu'il faut pour nourrir les chiens, les chats, les cobayes, les oiseaux, les poissons et même les tortues.

308 Copie ce texte. Souligne les noms de personnes en rouge, les noms d'animaux en bleu, les noms de choses en vert.

Léa et Félicien portent chacun un panier. Ils vont au jardin où des oiseaux chantent. Ils s'arrêtent près du pommier qui perd ses feuilles. Ils ramassent de grosses pommes rouges et reviennent à la maison. Maman fera de la compote et papa une tarte.

309 Écris une phrase dans laquelle il y aura un nom de personne, un nom d'animal et un nom de chose.

310 Vocabulaire à retenir

l'aviateur — le nageur — l'autocar — le fauteuil
l'ours — le singe — le requin — le lion

41e leçon

Le nom commun et le nom propre

Julien, mon petit **frère**, est parti en **voiture** avec madame **Richard**. Ils ont visité **Marseille** et verront une **exposition** de **papillons**.

RÈGLES

1. Les **noms communs** désignent des personnes, des animaux, des choses en général : le frère, la voiture, l'exposition, les papillons.

2. Les **noms propres** désignent une personne, un animal, une chose en particulier : Julien, Richard, Marseille.

EXERCICES

311 Copie ce texte. Souligne les noms communs en bleu et en rouge les noms propres.

Émilie joue à la maîtresse. Sur un banc, elle a placé son ours Martin, son chien Tom, son lapin Teddy et ses poupées Cathy et Dorothée. Elle leur parle d'un beau voyage qu'elle a fait en Bretagne. Tous l'écoutent.

312 Copie ces phrases. Souligne les noms communs en bleu et en rouge les noms propres.

Guillaume et Sandra ont rendu visite à leur tante Louise et à leur oncle Marc. — Nous avons pris le train à Toulouse pour aller à Bordeaux. — Le Concorde est un avion très rapide : il relie Paris à Mexico en quatre heures.

313 Léa a cinq poupées, donne-leur des noms.

314 Mathieu a une volière, donne un nom à trois de ses oiseaux.

315 Retrouve le nom de deux villes de ta région.

316 Copie ces phrases. Mets les majuscules des noms propres.

Le chien noiraud et la chatte pepita sont de bons amis. — Le maître interroge philippe. — Mon pays s'appelle la france. — Le limousin est une région voisine de l'auvergne. — tristan et sylvie font les courses au marché. — La loire est le fleuve qui traverse la ville de blois. — Le chanteur corentin donne ce soir un concert dans les arènes de nîmes.

317 Vocabulaire à retenir

la Seine — le Rhône — la Provence — les Alpes — la Garonne

Noms masculins et noms féminins

Le **pêcheur** tire un **poisson** de la **rivière**.
La **caissière** rend la **monnaie** à un **client**.

RÈGLES

1. Les noms devant lesquels on peut mettre **le** (l') ou **un** sont masculins : **le** pêcheur, **un** poisson, **un** client.

2. Les noms devant lesquels on peut mettre **la** (l') ou **une** sont féminins : **la** caissière, **la** monnaie, **la** rivière.

EXERCICES

318 Copie ces phrases. Souligne les noms masculins en rouge et les noms féminins en bleu.

La neige couvre la campagne. — Le vent s'engouffre sous la porte. — Le froid nous rougit le nez. — Je glisse ma lettre dans une enveloppe. — Le public encourage le coureur. — La voisine lave sa voiture.

319 Copie ces phrases. Souligne les noms masculins en rouge et les noms féminins en bleu.

La cliente entre chez le boucher. Elle achète des côtelettes de mouton et un rôti de bœuf. Elle paie à la caisse, sort de la boutique puis se rend chez le pâtissier. Là, elle commande un gâteau au chocolat.

320 Copie ces noms. Souligne les noms masculins en rouge et les noms féminins en bleu.

la cuisine	un couteau	une cuillère	la table
le congélateur	un torchon	le buffet	le tabouret
une serviette	la chaise	une fourchette	une éponge

321 Indique si ces noms sont masculins ou féminins.

Exemple : lit, nom masculin — armoire, nom féminin.

chambre — drap — couverture — matelas — oreiller.

322 Emploie quelques noms masculins dans de courtes phrases.

323 Emploie quelques noms féminins dans de courtes phrases.

324 Vocabulaire à retenir

le coureur — le nez — le public — la couverture — la crème — la porte

43e leçon

Le féminin des noms

Plus tard, Valentin voudrait être couturier ou cuisinier. Valentine, elle, voudrait être commerçante ou infirmière.

RÈGLES

1. On forme souvent le féminin des noms en ajoutant un e au nom masculin :

Valentin → Valentine   **un** commerçant → **une** commerçante.

2. Les noms masculins en -er font leur féminin en -ère :

un couturier → **une** couturière
un cuisinier → **une** cuisinière
un infirmier → **une** infirmière.

EXERCICES

325 **Copie ces noms masculins et écris ensuite le nom féminin.**

Exemple : le marchand → la marchande.

un mendiant — un passant — un client — le surveillant — un militant
un étudiant — un habitant — un parent — le remplaçant — un adolescent

326 **Copie ces noms masculins et écris ensuite le nom féminin.**

un cousin — un orphelin — un gamin — le voisin — un concurrent
un apprenti — un ennemi — un saint — un ami — un montagnard

327 **Copie ces noms masculins et écris ensuite le nom féminin.**

un invité — le marié — le fiancé — le blessé — un retraité

328 **Écris le nom de la femelle de ces animaux mâles.**

le lapin — le renard — un ours — un faisan

329 **Copie ces noms masculins et écris ensuite le nom féminin.**

un ouvrier — un sorcier — le passager — le caissier — un Chinois
un écolier — un trésorier — le cavalier — le bijoutier — un Américain

330 **Copie ces noms masculins et écris ensuite le nom féminin.**

l'épicier — l'étranger — le jardinier — le droitier — le crémier
le dernier — le premier — un hôtelier — le laitier — le charcutier

331 **Vocabulaire à retenir**

une cliente — le marchand — le parent — le voisin — l'infirmière

Le féminin des noms (*suite*)

Les spectateurs et les spectatrices sont émerveillés.
Le dompteur et la dompteuse dressent un lion
et une lionne, un tigre et une tigresse.

RÈGLES

1. Certains noms féminins doublent la dernière consonne du masculin devant le e : le lion → la lionne.

2. Certains noms font leur féminin en -euse, en -ice, en -esse.
le dompteur → la dompteuse
le spectateur → la spectatrice
le tigre → la tigresse.

3. Quelques noms s'écrivent de la même façon au masculin et au féminin : **un** élève → **une** élève **un** astronaute → **une** astronaute.

EXERCICES

332 **Écris le nom masculin, puis le nom féminin.**
un chien un chat un musicien un Italien un Breton Jean

333 **Écris le nom masculin, puis le nom féminin.**
le skieur le coiffeur un vendeur un acheteur le danseur un chanteur

334 **Écris le nom masculin, puis le nom féminin.**
un acteur un aviateur un lecteur le directeur un inspecteur

335 **Écris le nom masculin, puis le nom féminin.**
un ogre un âne le poète le maître le prince un diable

336 **Écris le nom masculin, puis le nom féminin.**
un paysan l'électeur un dormeur un pharmacien un gardien
le père le frère le garçon l'homme le copain
le pilote le bélier le cheval le boucher le patron

337 **À l'aide du verbe, trouve un nom masculin en -eur faisant son féminin en -euse.** *Exemple* : patiner → un patineur, une patineuse.
marcher promener nager baigner voyager plonger

338 **Vocabulaire à retenir**
la chienne — la chatte — la danseuse — la vendeuse — l'actrice

45e leçon

Le singulier et le pluriel des noms

le garçon, un chien, un ballon [un seul (**singulier**)]
les garçons, des chiens, des ballons [plusieurs (**pluriel**)]

la fille, une biche, une poupée [une seule (**singulier**)]
les filles, des biches, des poupées [plusieurs (**pluriel**)]

RÈGLES

1. Un nom est au **singulier** quand il ne désigne qu'une seule personne, qu'un seul animal, qu'une seule chose :
   le garçon, la fille, un chien, une biche, un ballon, une poupée.
2. Un nom est au **pluriel** quand il désigne plusieurs personnes, plusieurs animaux, plusieurs choses :
   les garçons, les filles, des lapins, des biches, des ballons, des poupées.
3. Les noms au pluriel se terminent souvent par la lettre **s** :
   le garçon → les garçons une poupée → des poupées.

EXERCICES

339 Copie ce texte. Souligne les noms singuliers en bleu et les noms pluriels en rouge.

Au cirque, nous avons vu des chameaux, des éléphants et des poneys. Nous avons applaudi le dompteur, les clowns et une écuyère.

340 Copie ce texte. Souligne les noms singuliers en bleu et les noms pluriels en rouge.

Les commerçants ont ouvert leurs boutiques. Nous achetons une salade, une botte de poireaux, des pommes, des oranges, un poulet et des noix.

341 Copie ces mots. Souligne tous les noms singuliers, puis entoure les noms au féminin singulier.

une laitue — un fromage — des tomates — une sole — un chou — une oie.

342 Copie ces mots. Souligne tous les noms pluriels, puis entoure les noms au masculin pluriel.

des haricots — des bananes — des épinards — un citron — des artichauts — des merlans — des courgettes — des navets — des cerises.

343 Vocabulaire à retenir

le poulet — le navet — un fromage — la cerise — le citron — la banane

Le pluriel des noms

le cahier, un cahier → **les** cahier**s**, **des** cahier**s**
[un seul (**singulier**)] [plusieurs (**pluriel**)]

RÈGLES

1. Pour former le pluriel des noms, on ajoute souvent un s au nom singulier : le cahier → les cahiers.

2. Pour accorder le nom, on regarde le petit mot placé devant lui :
le cahier → les cahiers un cahier → des cahiers.

EXERCICES

344 Écris ces noms au singulier, puis au pluriel.

le lapin	le lion	la vache	la biche	la girafe
un canard	une poule	une pintade	un chevreuil	une mésange

345 Écris ces noms au singulier, puis au pluriel.

la fusée	le train	la diligence	le chariot	le métro
un avion	un camion	une bicyclette	une moto	une voiture

346 Écris au pluriel les mots entre parenthèses.

J'ai mangé (une orange). — Il vend (une chemise) et (une cravate). — Le bricoleur prend (un clou) dans sa boîte à outils. — Tu ranges (un disque).

347 Écris au pluriel les mots entre parenthèses.

Le mécanicien serre (un écrou). — La neige glisse sur (le toit). — Le vent arrache (le volet). — L'automobiliste attend l'ouverture (de la barrière) du péage. — Le caissier compte (le billet).

348 S'il y a lieu, accorde les noms entre parenthèses.

Les (flamme) montent dans la (cheminée). — La (confiture) attire les (mouche). — Les (plongeur) cherchent un (trésor) au fond de l'eau. — Papa lave la (casserole) et les (assiette). — La (fleuriste) fait un (bouquet), elle assemble des (rose) et des (œillet).

349 Trouve cinq noms de ton matériel de classe.
Écris chaque nom au singulier, puis au pluriel.

350 Vocabulaire à retenir

le camion — la fusée — le train — le cahier — le crayon — la gomme

47e leçon

Le pluriel des noms en -eau ou -au et en -eu

L'instituteur dispose des j**eu**x de lettres
sur les bur**eau**x des élèves.

RÈGLE

Les noms terminés par **-eau** ou **-au** et par **-eu** prennent x au pluriel.
le bur**eau** → les bur**eau**x   un j**eu** → des j**eu**x.

Attention, on écrit : des pneu**s**.

EXERCICES

351 Écris les noms au singulier, puis au pluriel.
Exemple : le tonneau → les tonneaux.

corbeau	plateau	feu	anneau	rideau	couteau
rouleau	veau	jeu	carreau	cheveu	manteau
berceau	poteau	râteau	noyau	neveu	chameau
pruneau	adieu	chapeau	tuyau	seau	écriteau

352 Écris les noms entre parenthèses au pluriel.
Les (gourmand) mangent les (gâteau) des yeux. — Le carrossier a des (marteau) de toutes les (taille). — Le menuisier rabote des (planche), les (copeau) s'enroulent comme des (cheveu) frisés.

353 Écris les noms entre parenthèses au pluriel.
C'est l'hiver, les (troupeau) restent à l'étable. — Les (drapeau) de la fête claquent au vent. — Le cheminot vérifie les (essieu) des (wagon).

354 Écris les noms entre parenthèses au pluriel.
Les petits (ruisseau) font les grandes (rivière). — Les (bateau) partent pour la pêche. — Les (lionceau) dévorent des (morceau) de viande. — Sur la plage, les enfants font des (château) de sable.

355 Accorde, s'il y a lieu, les noms entre parenthèses.
La (sœur) de Jean a acheté des (maquereau) au (marché). — Les (oiseau) se posent sur le (bord) de la (fenêtre) pour picorer les (graine).

356 Vocabulaire à retenir
le manteau — le rideau — le couteau — un pneu — le milieu — un cheveu

Le pluriel des noms en -al, -ail

On n'utilise plus les chevaux pour les travaux des champs.

RÈGLE

Un certain nombre de noms qui se terminent par **-al** et **-ail** au singulier font leur pluriel en -aux :

le cheval → les chevaux   le travail → des travaux.

Attention, il ne faut pas confondre les noms en **-al** et en **-ail** avec les noms en **-eau** : un bureau → des bureaux.

Au pluriel des noms en **-al** ou en **-ail**, il n'y a pas de e avant **-aux**.

EXERCICES

357 Écris ces noms au singulier, puis au pluriel.

Exemples : le vitrail → les vitraux   un amiral → des amiraux.

bocal	caporal	métal	cristal	maréchal
canal	général	signal	quintal	soupirail
mal	trousseau	barreau	tribunal	niveau
total	journal	pruneau	ruisseau	animal

358 Écris ces noms au pluriel, puis au singulier.

Exemple : les journaux → le journal.

les hôpitaux	les poteaux	les locaux	les châteaux
les gâteaux	les marteaux	les vitraux	les animaux

359 Complète par aux **ou** eaux**. Écris le nom singulier entre parenthèses.**

Les poissons rouges sont dans des boc... transparents. — Il faut respecter la nature et aimer les anim... . — Les hôpit... disposent de loc... neufs. — Le vent soulève les rid... de la fenêtre. — Les bat... s'éloignent de la côte. — Je feuillette des journ... sportifs.

360 Accorde, s'il y a lieu, les noms entre parenthèses.

Le (fer), l'aluminium, le cuivre sont des (métal). — Les (plante) s'appellent aussi des (végétal). — Les (soucoupe) volantes émettent des (signal) lumineux. — Pour ma fête, j'ai reçu des (cadeau) : des (bande) dessinées, un (bateau) miniature, des (disque), des (jeu) électroniques.

361 Vocabulaire à retenir

le travail — le vitrail — le métal — un journal — un animal — un total

49e leçon

Le pluriel des noms terminés par s, x, z au singulier

Dans ce film, les souris avaient des nez gros comme des noix.

RÈGLE

Les noms terminés par s, x, z au singulier ne changent pas au pluriel :
la souris → **les** souris **la** noix → **les** noix **le** nez → **les** nez.

EXERCICES

362 Écris ces noms au singulier, puis au pluriel.
Exemple : le repas → les repas.

le tapis	le tas	le talus	le débris	le gaz	le progrès
le héros	le radis	la croix	le remous	la faux	le hachis
un colis	une perdrix	un jus	une vis	un bras	un ananas
le matelas	le taillis	un pas	un bois	une voix	un tournevis

363 Écris ces noms au pluriel, puis au singulier.
Exemple : les choix → le choix.

les secours	les mois	les succès	les discours	les compas	les rabais
les pays	les refus	les poids	les corps	les souris	les époux

364 Écris les noms entre parenthèses au pluriel.

Au printemps, les (lilas) refleuriront. — En hiver, les (bois) sont tristes. — Les enfants ont des (voix) pures. — Les (iris), les (lis), les (myosotis) sont des (fleur) ; les (houx), les (buis) sont des (arbuste). — Les (étoffe) ont des (coloris) variés. — Les (palais) sont des (château) magnifiques.

365 S'il y a lieu, accorde les noms entre parenthèses.

L'(enfant) fait un (dessin) qui ressemble plutôt à un (gribouillis). — Les (jardinier) font des (semis). — Des (prix) récompenseront les meilleures (équipe). — Avec les (noix), on peut faire de l'(huile). — Les (haltérophile) soulèvent de lourds (poids). — Monsieur Bénichou porte une décoration au (revers) de son (veston).

366 Vocabulaire à retenir

le repas — le tapis — le poids (pour peser)
la croix — le choix — la voix (pour parler)

Les déterminants

Plusieurs maisons **des** rues avoisinantes ont **leurs** volets repeints en rouge.

RÈGLES

1. Pour accorder le nom, je regarde le petit mot placé devant lui :

la	maison	**les**	maisons	ma	maison	**mes**	maisons
une	maison	**des**	maisons	ta	maison	**tes**	maisons
cette	maison	**ces**	maisons	sa	maison	**ses**	maisons
quelque	maison	**quelques**	maisons	notre	maison	**nos**	maisons
chaque	maison	**plusieurs**	maisons	votre	maison	**vos**	maisons
à la	maison	**aux**	maisons	leur	maison	**leurs**	maisons

2. Il y a d'autres petits mots que **les** et **des** qui marquent le pluriel. Ils se terminent le plus souvent par s ou x :
ces maisons **leurs** maisons **aux** maisons.

3. Ces petits mots placés avant le nom s'appellent des **déterminants**.

EXERCICES

367 S'il y a lieu, accorde les noms.

mon poisson... mes poisson... ton cobaye... tes cobaye...
ta tortue... tes tortue... ma chatte... mes chatte...

368 S'il y a lieu, accorde les noms.

ce plat... ces page... leur sac... sa barbe...
notre père... vos parent... leurs frère... nos livre...
quelques ami... chaque main... plusieurs lit... aux enfant...

369 S'il y a lieu, accorde les noms entre parenthèses.

Mettons nos (vêtement) aux (portemanteau). — Le chauffeur tient son (volant) dans ses (main). — Votre (feuilleton) va commencer, rangez vos (livre) et vos (cahier). — Le pêcheur a pris plusieurs (poisson).

370 Complète par au ou aux.

Nos voisins vont ... cinéma. — La lumière lui fait mal ... yeux. — Des glaçons pendent ... gouttières. — Le bateau arrive ... port.

371 Vocabulaire à retenir

la main — le plat — le client — le feuilleton — la sœur — mettre

51e leçon

Les déterminants (suite)

Le dragon avala les **quarante** moutons
en **sept** coups de langue.

RÈGLE

Les mots qui représentent des **nombres**, à l'exception de un, demandent que le nom qui suit soit mis au pluriel, même s'ils ne s'écrivent pas eux-mêmes avec la terminaison finale s ou x :

huit pages, quinze lignes, cent livres
une page, une ligne, un livre.

EXERCICES

372 Écris les nombres suivis du nom morceau **et accorde.**

deux — trois — quatre — cinq — six — sept — huit.

373 Écris les nombres suivis du nom carnet **et accorde.**

neuf — dix — onze — douze — treize — quatorze — quinze.

374 Écris les nombres suivis du nom journal **et accorde.**

seize — vingt — trente — quarante — cinquante — soixante — cent.

375 Accorde les noms.

cinq (siècle) — sept (année) — douze (mois) — seize (semaine) — dix-huit (jour) — vingt (heure) — trente (minute) — cinquante (seconde).

376 Écris les nombres en lettres.

3 rouleaux — 6 classeurs — 8 crayons — 10 gommes — 11 effaceurs — 15 stylos — 23 règles — 40 feuilles — 60 cahiers — 100 trombones.

377 Écris en lettres les nombres de dix-sept à vingt-neuf et fais suivre chaque nombre d'un nom différent.

Exemple : dix-sept cartes — dix-huit …

378 Écris les nombres en lettres et accorde les noms en bleu.

Ce magazine coûte (15 franc). — Le petit enfant marche à (4 patte). — Marjorie a (3 frère) et (2 sœur). — L'horloge sonne (9 coup).

379 Écris les nombres en lettres et accorde les noms.

Mon pantalon a (3 poche). — Nous avons (10 doigt). — Je vais à l'école à (8 heure 30). — Blanche-Neige fut recueillie par les (7 nain).

L'adjectif qualificatif

Ivan est un **enfant** sportif, il n'a pas peur de **l'eau** froide.
Le cheval noir franchit l'obstacle.

RÈGLES

Le mot **sportif** dit comment est **l'enfant Ivan.**
Le mot **froide** dit comment est **l'eau.**
Le mot **noir** dit comment est **le cheval.**
Les mots **sportif**, **froide**, **noir** sont des adjectifs.

1. L'adjectif qualificatif est un mot qui accompagne le nom et qui dit comment sont la personne, l'animal ou la chose.

2. L'adjectif peut se placer avant ou après le nom :
une route [nom] dangereuse [adj.] un dangereux [adj.] carrefour [nom].

EXERCICES

380 Copie ces expressions et entoure les adjectifs qualificatifs.

le crayon bleu — un mur solide — les lapins blancs
une voix douce — les noix vertes — des cheveux longs

381 Copie ces expressions et entoure les adjectifs qualificatifs.

des livres neufs — un pantalon étroit — un joueur adroit
une orange sucrée — un renard rusé — un manteau épais
un homme heureux — un jongleur habile — une viande crue

382 Souligne les noms et entoure les adjectifs qualificatifs.

La chatte tigrée a mis bas quatre chatons noirs et gris. — La grosse voiture occupe un emplacement immense. — Les enfants impatients attendent leur tour. — Tu coupes la tige fragile de la tulipe jaune.

383 Complète par un adjectif : intéressant, amusante, étoilé, profond.

une histoire … un spectacle … un ciel … un trou …

384 Trouve un adjectif pour chacun des noms.

un vent … une balle … une rose … un chat …
un paquet … une feuille … un sac … un œil …

385 Vocabulaire à retenir

froid — noir — nouveau — épais — neuf — adroit — aimable

53e leçon

Le genre de l'adjectif qualificatif

un bain **chaud** — un vent **violent**
une eau **chaude** — une tempête **violente**

RÈGLES

1. L'adjectif qualificatif accompagne le nom et le précise.
Il s'accorde en genre avec lui.

2. Si le nom est masculin, l'adjectif qualificatif est aussi masculin.
Si le nom est féminin, l'adjectif qualificatif est aussi féminin.

3. On forme souvent le féminin de l'adjectif qualificatif en ajoutant un e à l'adjectif masculin : un bain **chaud** → une eau **chaude**.

EXERCICES

386 Accorde les adjectifs qualificatifs.

Exemple : (gourmand) → un enfant gourmand, une fille gourmande.

(plein) un verre, une bouteille — (étroit) un gilet, une veste — (profond) un fossé, une rivière — (ouvert) un œil, une porte — (gris) un âne, une souris — (poli) un mot, une parole — (grand) un panier, une valise.

387 Accorde les adjectifs qualificatifs.

une robe (clair) — un geste (brutal) — une idée (original) — une fillette (blond) — une assiette (brisé) — une journée (ensoleillé) — un bouquet (fâné) — une (joli) voix — un lac (glacé).

388 Accorde les adjectifs qualificatifs.

Tu adores te promener dans la fraîcheur (matinal). — La cliente est (satisfait) de son achat. — La route (national) traverse la (petit) ville.

389 Accorde les adjectifs qualificatifs.

L'histoire de la tour (hanté) par un fantôme amuse les enfants. — La bise (glacial) souffle. — Le photographe s'enferme dans une pièce (obscur) pour travailler. — Adrien rêve à (haut) voix.

390 Emploie chacun de ces adjectifs avec un nom masculin, puis avec un nom féminin.

violent — rond — cassé — sucré — gai — fin — lent.

391 Vocabulaire à retenir

profond — étroit — ouvert — brutal — principal — original

Le féminin de l'adjectif qualificatif

un	bel	arbre	un	mur	bas	un	vent	léger
une	belle	maison	une	cave	basse	une	brise	légère
un	plat	creux	un	chat	voleur	un	devoir	facile
une	assiette	creuse	une	pie	voleuse	une	leçon	facile

RÈGLES

1. On forme souvent le féminin de l'adjectif qualificatif en ajoutant un e à l'adjectif masculin :
un bain chaud → une eau chaude.

2. Au féminin, certains adjectifs qualificatifs doublent la dernière consonne avant le **e** final :
un bel arbre — une belle maison
un mur bas — une cave basse.

3. Pour d'autres adjectifs qualificatifs, la dernière lettre du masculin change au féminin :
un plat creux — une assiette creuse
un chat voleur — une pie voleuse.

4. Les adjectifs qualificatifs en **-er** font leur féminin en **-ère** :
un vent léger — une brise légère.

5. Les adjectifs qualificatifs qui se terminent par un **e** au masculin ne changent pas au féminin.
un devoir facile — une leçon facile.

EXERCICES

392 Accorde les adjectifs qualificatifs.

Exemple : (printanier) → un soleil printanier, une chaleur printanière.

(grossier) un mot, une parole — (entier) un fromage, une pomme — (amer) un fruit, une tisane — (léger) un papillon, une étoffe — (fier) un regard, une silhouette — (étranger) un pays, une langue.

393 Accorde les adjectifs qualificatifs.

(gras) un foie, une oie — (gros) un lot, une boule — (violet) un papier, une cravate — (épais) un manteau, une couverture — (mignon) un bébé, une fillette — (bon) un numéro, une adresse — (vieil) un homme, une femme — (habituel) un geste, une cérémonie — (naturel) un produit, une eau.

394 Accorde les adjectifs qualificatifs.

(soigneux) un garçon, une fille — (moqueur) un rire, une grimace — (rieur) un visage, une figure — (dangereux) un jeu, une route — (joyeux) un cri, une ronde — (joueur) un chat, une chatte.

395 Accorde les adjectifs qualificatifs.

la lionne (cruel) — l'école (maternel) — une (heureux) nouvelle — une (fameux) recette — une pierre (précieux) — une scie (sauteur) — une cour (extérieur) — une flûte (magique).

396 Écris ces groupes au féminin.

un jour gris et pluvieux — un ami souriant — un concurrent nerveux — un jeune vendeur sérieux et patient — un garçon têtu et boudeur — un chanteur merveilleux.

397 Complète avec l'un de ces adjectifs : vieil, vieille, vieux, vieilles.

On voit de loin le clocher de la … église. — On dit que c'est dans les … marmites que l'on fait la meilleure soupe ! — Les … livres ne sont pas toujours en bon état. — Les oiseaux nichent dans le … arbre.

398 Complète par des adjectifs qualificatifs qui te paraissent convenir.

La bille roule parce qu'elle est … . — L'ogre sent l'odeur de la viande … . — Le papillon … vole de fleur en fleur. — Leslie mange une poire bien … . — La feuille de papier calque est … .

399 Complète par des adjectifs qualificatifs qui te paraissent convenir.

Le citron a un goût … tandis que l'orange a un goût … . — Dans la forêt …, un … ruisseau murmure. — Je couvre mon livre avec du papier … . — Le drapeau français est … .

400 Accorde les adjectifs qualificatifs.

Tania trouve que la fourmi est (actif). — Une personne (bavard) ennuie souvent sa (meilleur) amie. — En montagne, la piste est (raide et escarpé). — Le médecin est (pressé) car la visite est (urgent). — Le photographe s'enferme dans une pièce (obscur) pour travailler.

401 Écris deux phrases dans lesquelles tu emploieras un adjectif qualificatif au féminin.

402 Vocabulaire à retenir

entier — léger — dangereux — vieux, vieil, vieille, la vieillesse

Le pluriel de l'adjectif qualificatif

le sommet pointu — la montagne pointue
les sommets pointus — les montagnes pointues

RÈGLES

1. L'adjectif qualificatif accompagne le nom et le précise. Il s'accorde en nombre avec lui.

2. Si le nom est au singulier, l'adjectif qualificatif est aussi au singulier. Si le nom est au pluriel, l'adjectif qualificatif est aussi au pluriel.

3. Les adjectifs qualificatifs prennent souvent un s au pluriel :
les sommets pointus → les montagnes pointues.

EXERCICES

403 Écris ces groupes au pluriel.
Exemple : un verre vide → des verres vides.
une feuille morte — un moustique vorace — un vêtement propre

404 Écris ces groupes au pluriel.
un objet utile — une rose rouge — une robe verte — une jolie voix

405 Écris ces groupes au pluriel.
un travail facile — un œil clair — une carte routière — un pas régulier

406 Accorde les adjectifs entre parenthèses.
des étoiles (brillante) — des flocons (léger) — des bas (noir) — un pantalon (inusable) — des mains (sale) — un pain (rond).

407 Accorde les adjectifs entre parenthèses.
Tu bois de l'eau (fraîche). — Aurélie a les cheveux (blond). — Un (fort) vent agite les (longue) branches des (grand) arbres du parc.

408 Accorde les groupes entre parenthèses.
Je mange des (fruit sucré). — Sonia achète douze (croissant chaud, doré et croustillant). — La poule (noire) promène six (petit poussin jaune).

409 Vocabulaire à retenir
frais, fraîche — neuf, neuve — long, longue — lourd, lourde

56e leçon

Le pluriel de l'adjectif qualificatif *(suite)*

un vieu**x** manteau gri**s** →	de vieu**x** manteaux gri**s**
un exercice or**al**	des exercices or**aux**
un jeu nouv**eau**	des jeux nouv**eaux**

RÈGLES

1. Les adjectifs qualificatifs terminés par **s** ou **x** au singulier ne changent pas au pluriel :
un vieu**x** manteau gri**s** → de vieu**x** manteaux gri**s**.

2. Les adjectifs qualificatifs en **-al** font souvent leur pluriel en -**aux** :
un exercice or**al** → des exercices or**aux**.

3. Les quelques adjectifs qualificatifs en **-eau** font leur pluriel en **-eaux**:
un jeu nouv**eau** → des jeux nouv**eaux**.

EXERCICES

410 **Écris au pluriel.**
Exemple : un jambon gras → des jambons gras.

un beau match	un nuage gris	un chemin boueux	un plafond bas
un nouveau film	un cri joyeux	un signal lumineux	un tapis épais

411 **Écris au pluriel.**

un château féodal	un animal peureux	un bonjour amical
un son musical	un train spécial	un geste brutal

412 **Accorde les groupes entre parenthèses.**
En hiver, les (jour gris et pluvieux) sont plus nombreux que les (jour ensoleillé). — Deux (déménageur robuste) portent des (meuble volumineux). — Nous mangeons des (raisin sec) ou des (fruit frais).

413 **Accorde les groupes entre parenthèses.**
Pour avoir de (belle pelouse), il faut arracher régulièrement les (mauvaise herbe). — Dans ce magasin, on vend des (produit régional). — Les (bon compte) font les (bon ami), du moins c'est ce qu'on dit !

414 **Vocabulaire à retenir**
amical — égal — musical — régional — spécial
lumineux — pluvieux — merveilleux — nombreux — sérieux

L'accord de l'adjectif qualificatif

un gâteau sucré	une orange sucrée
des gâteaux sucrés	des oranges sucrées

RÈGLE

L'adjectif qualificatif s'accorde avec le nom auquel il se rapporte, c'est-à-dire avec le nom qu'il accompagne.

1. Si le nom est masculin singulier, l'adjectif est au masculin singulier. Si le nom est au masculin pluriel, l'adjectif est au masculin pluriel :

un gâteau sucré [masc. sing.] → des gâteaux sucrés [masc. plur.].

2. Si le nom est féminin singulier, l'adjectif est au féminin singulier. Si le nom est féminin pluriel, l'adjectif est au féminin pluriel :

une orange sucrée [fém. sing.] → des oranges sucrées [fém. plur.].

EXERCICES

415 Accorde les adjectifs qualificatifs entre parenthèses.

un épi (blond), des cheveux (blond), une chevelure (blond), des nattes (blond) — un clou (pointu), des crayons (pointu), une épingle (pointu), des aiguilles (pointu) — un fruit (juteux), des raisins (juteux), une poire (juteux), des prunes (juteux).

416 Accorde les adjectifs qualificatifs entre parenthèses.

du muguet (parfumé), des œillets (parfumé), une rose (parfumé), des jacinthes (parfumé) — un ciel (clair), des yeux (clair), une étoffe (clair), des chemises (clair) — un passage (difficile), des problèmes (difficile), une position (difficile), des opérations (difficile).

417 Accorde les adjectifs qualificatifs entre parenthèses.

Exemple : (lourd) des paniers, des valises → des paniers lourds, des valises lourdes.

(touffu) des buissons, des haies — (bleu) des corsages, des chemises — (vert) des rubans, des nappes — (mûr) des abricots, des oranges — (plein) des vases, des armoires — (entier) des jours, des journées.

418 Accorde les adjectifs qualificatifs.

(désert) des couloirs, des rues — (épineux) des arbustes, des plantes — (glacé) des marrons, des crèmes — (mural) des tableaux, des cartes — (côtier) des fleuves, des rivières. — (rond) des yeux, des tuiles.

419 **Écris ces groupes au pluriel.**

un camarade gai, doux et serviable — un chemin long, étroit et ombragé — une gare centrale, vaste et bruyante — une rue commerçante, animée et agréable — une réaction curieuse et inattendue.

420 **Écris ces groupes au pluriel.**

un arbre tordu, robuste et centenaire — une maison moderne, blanche et coquette — un jardin cultivé, fleuri et verdoyant — un énorme feu rouge clignotant — une vieille voiture rouge et cabossée.

421 **Écris ces groupes au féminin pluriel.**

un écolier attentif, soigneux et appliqué — un joueur adroit, actif et rapide — un vendeur gentil, vif et empressé — un voyageur impatient et chargé.

422 **Écris ces groupes au masculin pluriel puis au féminin singulier.**

un chien fidèle, doux mais craintif — le chat batailleur, vif et rusé — le danseur aérien, gracieux et agile — un nouvel instituteur remplaçant.

423 **Accorde les groupes entre parenthèses.**

Jérôme fête son (septième anniversaire). Il a préparé des (crêpe dorée, fine, croustillante) et une (crème vanillée). Ses (meilleur copain) arrivent. Ils lui offrent une (petite collection) de (voiture miniature). — Le moteur fait entendre d'(étrange bruit). — Les (lumière vive) attirent les (insecte nocturne). — Le chêne perd ses (feuille dentelé).

424 **Accorde les adjectifs qualificatifs entre parenthèses.**

La fillette a les joues (rond et rose). Elle est en (bon) santé. Ses yeux (noir) sourient. Ses cheveux (châtain) sont noués par un ruban (bleu). Elle a de (petit) mains (potelé). Sa veste bien (repassé) a des manches (long).

425 **Accorde les adjectifs qualificatifs entre parenthèses.**

Les chatons, (joueur et malin), tendent leurs pattes (griffu) et donnent de (petit) coups (vif et répété) pour attraper la (gros) pelote de laine (blanc). La (jeune) chienne Mirza survient. Les (petit) chats (polisson) se sauvent.

426 **Accorde les adjectifs qualificatifs entre parenthèses.**

Les moineaux (frileux) cachent leurs têtes (rond) sous leurs plumes (ébouriffé). Une bise (glacé) souffle. Un passant (pressé) protège ses mains (gelé) dans ses poches (profond). La rue (glissant) brille comme un miroir.

427 **Vocabulaire à retenir**

doux — vaste — soigneux — meilleur — malin — bavard

58e leçon

L'adjectif séparé du nom par le verbe être

Les routes **sont** étroites et glissantes.

RÈGLE

L'adjectif qualificatif est parfois séparé du nom par le verbe **être**, mais l'adjectif qualificatif s'accorde toujours avec le nom auquel il se rapporte : Les routes sont étroites et glissantes.
[fém. plur.] [fém. plur.] [fém. plur.]

EXERCICES

428 Accorde les adjectifs qualificatifs entre parenthèses.

Les auditeurs sont (attentif). — La musique est (mélodieux). — L'étoffe est (clair). — Les rivières sont (profond). — La lionne est (féroce).

429 Accorde les adjectifs qualificatifs entre parenthèses.

Les piles sont (neuf). — Les trottoirs sont (sale). — La branche est (cassé). — La prairie est (verdoyant). — Les spectateurs sont (content).

430 Fais l'exercice sur le modèle.

les mains (enflé) → Les mains enflées. Les mains sont enflées.

les pains (chaud)
les fruits (sec)
leurs becs (crochu)
la poire (gâté)
la pente (dangereux)
ses cheveux (fin et frisé)

431 Accorde les adjectifs qualificatifs entre parenthèses.

Ces émissions sont (intéressant). — Au péage, les voitures sont (nombreux) à attendre. — Les pompiers sont (prêt) à partir.

432 Accorde les adjectifs qualificatifs entre parenthèses.

La forêt est (nu), les (grand) arbres dressent leurs (long) bras (noir). — Les skieurs de fond sont très (content) de leur balade.

433 Accorde les adjectifs qualificatifs entre parenthèses.

Les (premier) résultats sont (excellent). — Les dessins (animé) sont (amusant). — Ces (nouveau) médicaments sont (efficace). — Les (petit) chèvres (blanc) sont (capricieux). — Les chiens sont (fidèle et caressant).

434 Vocabulaire à retenir

content — efficace — fidèle — gazeux — capricieux — ennuyeux

59ᵉ leçon

Le pronom personnel

Le passant traverse la rue, **il** est attentif.
Les passantes traversent la rue, **elles** sont attentives.
Je répéterai ma phrase puisque **tu** n'as pas écouté !

RÈGLES

1. Je, tu, il, elle, nous, vous, ils, elles, utilisés dans la conjugaison, sont des pronoms personnels.

2. Le pronom de la 3ᵉ personne est un mot qui remplace un nom :
Il remplace le nom **passant.**
Elles remplace le nom **passantes.**

3. Je, tu, nous, vous, désignent des personnes dans une conversation :
Je répéterai ma phrase puisque **tu** n'as pas écouté.

Remarque : L'adjectif qualificatif s'accorde avec le pronom, comme il s'accorde avec le nom :
Ils sont attentif**s**. Elles sont attenti**ves**.

EXERCICES

435 Conjugue au présent. Souligne les pronoms personnels.
sauter à la corde — être en auto et avoir froid — manger du fromage.

436 Remplace les mots en bleu par des pronoms personnels.
Les automobilistes respectent la signalisation, les automobilistes s'arrêtent au feu rouge. — La chaudière ne fonctionne pas, la chaudière doit être réparée au plus vite. — L'électricien doit installer une parabole ; l'électricien monte sur le toit.

437 Remplace les pronoms personnels en bleu par des noms.
Ils dévalent les pentes enneigées. — Elle joue du piano. — Ils réparent les chaussures. — Il soigne les malades. — Ils aboient.

438 Accorde les adjectifs qualificatifs.
Les chiens gardent la maison, ils sont (vigilant). — Ces élèves font des progrès, ils sont (attentif). — La (premier) concurrente franchit la ligne d'arrivée : elle est (épuisé).

439 Vocabulaire à retenir
le progrès — le succès — le décès — respecter — fonctionner — installer

Le verbe et son sujet

Le campeur monte sa tente ; **il** dormira à l'abri.

RÈGLES

1. C'est le campeur qui fait l'action de monter sa tente donc, le groupe **le campeur** est le groupe sujet du verbe **monte.**

2. On trouve le groupe sujet en posant, avant le verbe, la question « **Qui est-ce qui ?** »

« Qui est-ce qui »		
monte la tente ?	**le campeur**	**le campeur** est sujet de **monte**
dormira ?	**il** (le campeur)	**il** est sujet de **dormira.**

3. On peut aussi transformer la phrase :
C'est **le campeur** qui **monte** sa tente.
Le groupe de mots qui se trouve entre c'est et qui est le groupe sujet.

EXERCICES

440 Trouve les groupes sujets en posant la question « qui est-ce qui ».
Exemple : Le chat miaule. → **« qui est-ce qui »** miaule ? le chat.
La voiture s'arrête. — Le tonnerre gronde. — Les vagues déferlent.

441 Souligne les verbes et entoure les groupes sujets.
L'enfant tombe. — Le candidat hésite. — Tu bavardais. — Nous regarderons. — Le chien aboie. — Les merles sifflent.

442 Complète par : roule, roucoulaient, grimpe, brillent.
Les étoiles … . — Les pigeons … . — Le ballon … . — Le lierre … .

443 Complète avec des groupes sujets qui conviennent.
… enfourne le pain. — … réparait la voiture. — … bourdonnaient à nos oreilles. — … soulève des blocs de béton. — … surveille la casserole. — … donnent du miel.

444 Complète avec des verbes qui conviennent.
Le footballeur … un but. — La caissière … la monnaie. — Juliette … un timbre sur l'enveloppe. — Barbara … les films comiques. — L'infirmière … le pansement. — Nelly … sa leçon. — Le présentateur … devant le micro.

445 Vocabulaire à retenir
pêcher, la pêche, un pêcheur — siffler, le sifflet, un sifflement

61e leçon

L'accord du verbe

Le métro arrive, **les portes** s'ouvrent.

RÈGLES

Le verbe s'accorde avec son groupe sujet ; celui-ci comprend toujours un nom (ou un pronom) principal.

1. Le verbe se met à la 3e personne du singulier quand le sujet est au singulier : Qui est-ce qui arrive ? **le métro** donc arrive.

2. Le verbe se met à la 3e personne du pluriel quand le sujet est au pluriel : Qui est-ce qui s'ouvre ? **les portes** donc s'ouvrent.

EXERCICES

446 Écris les groupes sujets au pluriel et accorde les verbes.
Exemple : Le téléphone sonne. → Les téléphones sonnent.
L'avion décolle. — Le touriste bronze sur la plage. — Le danseur sautille. — Le camion freine. — La pie jacasse. — Le serpent siffle.

447 Écris les groupes sujets au pluriel et accorde les verbes, sans changer les temps.
Le chat griffe. — Le coureur a abandonné. — Le cheval galopait. — La partie commence. — Le coiffeur travaille. — Le moteur explose.

448 Écris les groupes sujets au singulier et accorde les verbes, sans changer les temps.
Les vagues écument. — Les phares brillent. — Les voiles se gonflent. — Les barques chavirent. — Les mouettes plongent. — Les nuages filaient. — Les paquebots arrivent. — Les passagers débarqueront.

449 Écris les verbes entre parenthèses au présent. Entoure les groupes sujets et souligne les verbes.
Dès les premières gouttes, les promeneurs (rentrer) chez eux. — Les vacances (approcher), les élèves (ranger) leur casier. — Le clown (tomber) de sa chaise, les enfants (éclater) de rire.

450 Écris les verbes entre parenthèses au futur simple. Entoure les groupes sujets et souligne les verbes.
Les poussins (casser) leurs coquilles. — Le vent (souffler), les ailes du moulin (tourner) — Les touristes (visiter) le musée, le gardien (surveiller) les tableaux. — Karim (embrasser) ses parents.

Le sujet tu

tu parles **tu** parlais **tu** parleras **tu** as parlé

RÈGLE

À tous les temps, avec le pronom sujet **tu**, le verbe se termine par s :
tu parles, **tu** parlais, **tu** parleras, **tu** as parlé.

Présent	Imparfait	Futur simple	Passé composé
je parle	je parlais	je parlerai	j' ai parlé
tu parles	tu parlais	tu parleras	tu as parlé
il parle	il parlait	il parlera	il a parlé

EXERCICES

451 **Écris les verbes à la 2e personne du singulier du présent.**

marcher sauter entrer manger éternuer rester
signer cogner crier bouder remuer jouer

452 **Écris les verbes à la 2e personne du singulier du futur simple.**

tomber réciter goûter trembler compter trépigner
traverser respirer hésiter grelotter arroser dessiner

453 **Écris les verbes à la 2e personne du singulier du présent, de l'imparfait et du futur. Souligne la lettre finale** s.

chanter raconter étudier glisser danser jouer

454 **Écris les verbes** avoir **et** être **à la 2e personne du singulier du présent, de l'imparfait, du futur simple. Souligne la lettre finale** s.

avoir soif — avoir faim — avoir le temps — avoir de la chance — être patient — être heureux — être inquiet — être courageux.

455 **Écris les verbes au présent, à l'imparfait et au passé composé.**

tu (tourner) tu (creuser) tu (piloter) tu (écouter)

456 **Écris les verbes entre parenthèses au présent.**

Tu (porter) une montre. — Elle (allumer) sa lampe. — J'(écouter) la radio. — Tu (coller) un timbre. — Ils (brûler) du bois. — Tu (raconter) une histoire. — Elle (accepter) notre invitation. — Il (oublier) ton adresse.

457 **Vocabulaire à retenir**

étouffer — grelotter — arroser — coller — oublier — jouer — brûler

63e leçon

Le sujet il ou ils, elle ou elles

Le savant observe le ciel, **il** cherche des étoiles.
Les savants observent le ciel, **ils** cherchent des étoiles.
La fusée décolle, **elle** s'éloigne rapidement.
Les fusées décollent, **elles** s'éloignent rapidement.

RÈGLE

Quand on écrit un pronom personnel de la 3e personne, il faut chercher le nom qu'il remplace pour savoir si ce pronom doit être au singulier ou au pluriel, afin d'accorder le verbe :

il (le savant)	[3e pers. du sing.]	→	cherch**e**
ils (les savants)	[3e pers. du plur.]	→	cherch**ent**
elle (la fusée)	[3e pers. du sing.]	→	s'éloign**e**
elles (les fusées)	[3e pers. du plur.]	→	s'éloign**ent**.

EXERCICES

458 Copie ces phrases. Après chaque pronom il **ou** ils, elle **ou** elles, **écris entre parenthèses le nom qu'il remplace.**

Exemple : Mon voisin suit un régime, il (mon voisin) espère maigrir.

Les vainqueurs défilent, ils portent fièrement leurs médailles. — Les couleuvres rampent, elles se cachent dans les herbes — Estelle commence l'étude du solfège, elle cherche encore le nom des notes. — Le moineau s'envole, il se perche dans l'arbre.

459 Complète avec un pronom personnel. Écris les verbes au présent.

Monsieur Merlin (chercher) une place pour sa voiture, … (tourner) depuis une heure dans le quartier. — Laetitia (couper) une tranche de pain et … (étaler) le beurre. — Les piétons (traverser) sur les passages protégés mais … (surveiller) quand même les camions et les motos.

460 Complète avec un pronom personnel et écris les verbes à l'imparfait.

Les lumières (s'allumer), … (briller) dans la nuit. — La fumée (monter), … (se disperser) au vent. — Les jardiniers (ratisser) les allées, puis … (arroser) les fleurs. — Les clients (regarder) les produits et … (comparer) les prix.

461 Vocabulaire à retenir

la poussière — la lumière — l'étagère — la portière
l'heure — le beurre — le vainqueur — la chaleur

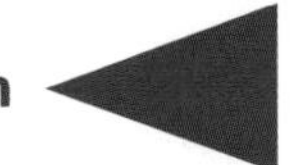

Le sujet on

On dessine.	**Vincent** dessine.	**Il** dessine.
On dessinera.	**Aurélie** dessinera.	**Elle** dessinera.

RÈGLES

1. **On** peut être remplacé par un **nom**, par **il** ou par **elle** :
   On dessine. → **Vincent** dessine. **Il** dessine. **Elle** dessinera.
2. **On** est toujours sujet d'un verbe qui doit s'écrire à la 3e personne du singulier : **On** dessine. **On** dessinera.

EXERCICES

462 Écris ces verbes aux trois personnes du singulier du présent en utilisant pour la 3e personne le pronom personnel on **et un prénom (différent à chaque fois).**
Exemple : danser → Je danse, tu danses, elle danse, on danse, Eva danse.
tomber — chanter — marcher — saigner — parler.

463 Écris ces verbes aux trois personnes du singulier du futur en utilisant pour la 3e personne le pronom personnel on **et un nom (différent à chaque fois).** *Exemple* : ramer → Je ramerai, tu rameras, il ramera, on ramera, le matelot ramera.
pleurer — rentrer — glisser — reculer — travailler.

464 Écris les verbes au présent puis remplace on **par un nom différent à chaque fois.** *Exemple* : On casse du bois. Luc casse du bois.
On (regarder) la télévision. — On (traverser) la rue. — On (décorer) les murs. — On (manger) du couscous. — On (pêcher) à la ligne.

465 Écris les verbes au présent, puis au futur.
Tu (monter) dans l'autocar. — On (admirer) le paysage. — Elle (écouter) la musique. — Jean (patauger) dans le ruisseau. — On (passer) une bonne journée. — On (froisser) les feuilles de papier. — Je (lancer) la balle. — Les joueurs (se grouper) autour de l'arbitre. — On (former) les équipes. — On (quitter) le terrain. — Tu (ranger) tes jeux.

466 Emploie le pronom sujet on **dans deux courtes phrases.**

467 Vocabulaire à retenir
la terre, le terrain, enterrer — le pays, le paysage, le paysan

65e leçon

Le nom, l'adjectif, le verbe

Un tableau moderne décore l'entrée de l'école.
Des tableaux modernes décorent l'entrée de l'école.

RÈGLES

1. Au pluriel, les noms et les adjectifs prennent un s, quelquefois un x : des tableaux.
2. Au pluriel, à la 3e personne, les verbes prennent nt : Les tableaux décorent.

EXERCICES

468 Copie ce texte. Entoure les verbes, souligne les noms en bleu et les adjectifs en rouge.

Jean passe de bonnes vacances à la plage. Il nage sous l'eau claire. Il joue au ballon avec ses petits camarades. Il invente des jeux amusants. Avec le sable fin, il fait de beaux châteaux.

469 Écris les noms en bleu au pluriel et fais les accords nécessaires.

La petite chèvre blanche gambade dans le pré. — Le frêle canot flotte difficilement. — La lourde porte grince. — Le randonneur fatigué arrive au refuge.

470 Écris les noms en bleu au pluriel et fais les accords nécessaires.

Le jeune enfant adore l'émission publicitaire. — La frite croustillante craque sous la dent. — L'ingénieur déçu abandonne son projet. — La meilleure skieuse dévale la piste noire. — Le spectateur enchanté acclame le musicien.

471 Écris les noms en bleu au pluriel et fais les accords nécessaires.

La pomme jaune est mûre. — Le petit chat noir s'amuse sous le lit. — Un insecte doré bourdonnait près de mon oreille. — Ce nouvel appareil fonctionne avec une pile miniature. — Le gendarme a un uniforme neuf.

472 Remplace le manoir **par** la tour, les manoirs, les tours **et fais les accords nécessaires.**

Le vieux manoir isolé mérite un détour.

473 Vocabulaire à retenir

le tableau — le roseau — le moineau — bourdonner — abandonner

a, à

Bertrand **a** des patins **à** roulettes.
Bertrand **avait** des patins **à** roulettes.

RÈGLES

1. à, avec un accent grave, est un mot invariable :
des patins **à** roulettes.

2. a, sans accent, est le verbe **avoir** au présent. On peut le remplacer par **avait, aura**… : Bertrand **a (avait)** des patins.

EXERCICES

474 Conjugue au présent et au futur simple.
avoir faim — avoir un cahier neuf — grimper à l'échelle.

475 Écris successivement le verbe avoir **au présent et à l'imparfait.**
Exemple : Manuel a soif. Manuel avait soif.
Le clown … un chapeau pointu. — Mon camarade … mal à la tête. — Le terrassier … froid aux mains. — Le pommier … des fleurs roses. — La tulipe … de jolis pétales. — Leslie … un manteau neuf.

476 Complète par a **ou** à. **Explique l'emploi de** a **en écrivant** avait **entre parenthèses.** *Exemple* : Brice a (avait) un journal à la main.
Le plombier … un lavabo … installer avant ce soir. — Lucie … l'occasion de partir … la montagne, elle … raison d'en profiter. — Jeanne … des baskets … semelles épaisses. — La vendeuse … un cadeau … emballer.

477 Complète par a **ou** à. **Entoure le verbe** a **en bleu et le mot invariable** à **en rouge.**
L'employé … enfin un ordinateur … sa disposition. — Le cheval … soif, il boit … la rivière. — Angélique … distribué les cartes … jouer. — Le livreur … installé le lit dans la chambre … coucher.

478 Écris deux phrases dans lesquelles tu emploieras à**, deux phrases dans lesquelles tu emploieras** a**, et enfin deux phrases dans lesquelles tu emploieras à la fois** à **et** a.

479 Vocabulaire à retenir
la salle à manger — la chambre à coucher — le fer à repasser
à travers — à midi — à la prochaine fois

67e leçon

et, est

L'autobus **est** en retard **et** les passagers l'attendent dans le froid **et** la pluie.

RÈGLES

1. et est un mot invariable qui permet de relier deux parties d'une phrase : le froid **et** la pluie.

2. est est le verbe **être** au présent. On peut le remplacer par **était**, **sera**... : L'autobus **est (était)** en retard.

EXERCICES

480 Conjugue ces expressions aux trois personnes du singulier du présent. Souligne chaque fois le verbe être.

être joyeux — être dans la cuisine — être poli.

481 Écris ces expressions à la 3e personne du singulier du présent, puis de l'imparfait. Choisis un nom sujet.
Exemple : être malade → Xavier est malade. Xavier était malade.

être patient — être fatigué — être à l'heure — être au lit.

482 Complète par et **ou** est**. Explique l'emploi de** est **en écrivant** était **entre parenthèses.** *Exemple* : L'eau est (était) froide.

Ce voyage en Autriche ... long ... fatigant. — La clé ... restée sur la porte ... nous avons pu entrer. — Le garagiste a gonflé le pneu ... pourtant, il ... déjà à plat. — Le plomb ... lourd ... la plume ... légère.

483 Complète par et **ou** est.

Les mains dans les poches ... le cartable au dos, Paul ... en route pour l'école. — Hamid ... le seul à connaître la question ... la réponse ! — Le pêcheur ... déjà en mer. — Le téléphone ... le minitel sont en dérangement parce que l'électricité ... coupée.

484 Écris deux phrases dans lesquelles tu emploieras et**, deux phrases dans lesquelles tu emploieras** est**, et enfin deux phrases dans lesquelles tu emploieras à la fois** et **et** est.

485 Vocabulaire à retenir

la main — le train — le pain — le grain
(le fruit est) mûr — le mur (du jardin)

son, sont

Carine et **son** frère **sont** au club de judo.
Carine et **ses** frères **étaient** au club de judo.

RÈGLES

1. son est un déterminant qui peut être remplacé par le pluriel **ses** ou par un autre déterminant :
Carine et **son** frère (Carine et **ses** frères).

2. sont est le verbe **être** au présent. On peut le remplacer par **étaient, seront**... : Ils **sont (étaient)** au club de judo.

EXERCICES

486 Conjugue le verbe être **au présent. Souligne la 3e personne du singulier et la 3e personne du pluriel.**
être au travail — être à bicyclette — être malade.

487 Fais l'exercice sur le modèle : père → mon père, ton père, son père.
frère — oncle — cousin — camarade — voisin.

488 Fais l'exercice sur le modèle : crayon → son crayon, ses crayons.
livre — pantalon — bracelet — couteau — disque — stylo.

489 Complète par son **ou** sont. **Explique l'emploi de** sont **en écrivant** étaient **entre parenthèses.** *Exemple* : Les autobus sont (étaient) à l'arrêt.
Noémie avale ... déjeuner. — Mes parents ... chez des amis. — Amalia range ... bureau. — Les rivières ... gelées. — Les arbres ... en fleurs.

490 Complète par son **ou** sont. **Explique l'emploi de** sont **en écrivant** étaient **entre parenthèses.**
Les œufs ... frais. — ... courage fait plaisir à voir. — Madame Régnier ferme la porte de ... garage. — Ils ... contents de leur promenade. — Claudie éteint ... poste de télévision. — Tes cheveux ... bien coiffés.

491 Complète par son **ou** sont.
Romain et Delphine ... timides. — Les nuages ... menaçants, mademoiselle Testa prend ... parapluie. — Harold et ... camarade ... au cinéma.

492 Vocabulaire à retenir
le déjeuner, le dîner, le souper — le courage — le garage — le nuage

69e leçon

ce, se

Ce garçon **se** trompe rarement.
Ces garçons **se** trompent rarement.

RÈGLES

1. se est toujours placé devant un verbe : il **se** trompe ; **se** tromper.

2. ce est un déterminant : il est placé devant un nom.
Il peut être remplacé par le pluriel (**ces**) : **ce** garçon (**ces** garçons).

3. Il y a quelquefois un adjectif qualificatif entre **ce** et le nom :
ce gros manteau, **ce** léger maillot.

Attention, on rencontre parfois **ce** devant un verbe (souvent **être**).
Ces joueurs, **ce** sont de redoutables adversaires.

EXERCICES

493 Complète par ce **ou** se**, puis écris** nom **ou** verbe **entre parenthèses.** *Exemple* : ce manteau (nom), se remarquer (verbe).

... tambour	... rappeler	... rouleau	... coucher	... sifflet
... fâcher	... rosier	... tiroir	... brosser	... baigner
... train	... pencher	... détail	... gratter	... foulard

494 Conjugue au présent et à l'imparfait. Entoure se **en bleu.**
se laver les mains — se déplacer en moto — se croiser les bras.

495 Écris les verbes au présent puis à l'imparfait.
Le jour du marché, les marchands (se retrouver) sur la place. — Jacques (se couper) une tranche de pain. — Le ballon (se dégonfler) à vue d'œil.

496 Complète par ce **ou** se.
Les spectateurs ... pressent pour assister au match de ... soir. — ... nouveau magazine ... vend très bien. — Ils s'arrêteront dans ... village pour déjeuner et ... reposer un peu. — ... chemisier ne ... repasse pas.

497 Écris deux phrases comportant ce**, deux phrases comportant** se**, et enfin deux phrases comportant à la fois** ce **et** se.

498 Vocabulaire à retenir
la voix (pour parler) — la voie (ferrée) — je vois (verbe voir)
se fatiguer — se reposer — se consoler

ces, ses

Laure a fait **ses** premiers pas dans **ces** grandes allées.
Laure a fait **son** premier pas dans **cette** grande allée.

RÈGLES

1. **ces** est le pluriel de **ce**, **cet** ou **cette** : **ces** allées (**cette** allée).

2. **ses** est le pluriel de **son** ou **sa** : **ses** premiers pas (**son** premier pas).

Remarque : Il faut écrire **ses** quand, après le nom, on peut dire **les siens** ou **les siennes** : **ses** premiers pas, **les siens**.

EXERCICES

499 Écris ce, cet **ou** cette **devant ces noms puis écris-les au pluriel.**

Exemple : … objet → cet objet, ces objets.

… gardien … maison … serviette … avion … chemin
… oiseau … bateau … signature … feu … voilier

500 Recopie ces noms au pluriel puis écris-les au singulier.

ces églises ces tapis ces placards ces draps ces couvertures
ses genoux ses mains ses oreilles ses pieds ses doigts

501 Recopie ces noms au singulier puis écris-les au pluriel.

son chapeau cet arbre ce lièvre son crayon son couteau
sa cassette son chien sa robe sa sœur cette perdrix

502 Complète par ces **ou** ses**. Explique l'emploi de** ses **en écrivant** les siens **ou** les siennes **entre parenthèses.**

Judith peigne … cheveux. — … montagnes sont hautes. — Pierre-Louis range … lunettes. — Il fait toujours froid dans … régions élevées.

503 Écris les noms en bleu au pluriel et fais les accords nécessaires.

Cette boisson est rafraîchissante. — Sa manche est déchirée. — Ce mensonge est ridicule. — Son frère est très gentil.

504 Écris deux phrases comportant ces**, deux phrases comportant** ses**, et enfin deux phrases comportant à la fois** ces **et** ses**.**

505 Vocabulaire à retenir

les genoux — les pieds — les doigts — la crainte, craintif, craindre

71e leçon

on, ont

On aime les chants qui **ont** du rythme.
Elle aimait les chants qui **avaient** du rythme.

RÈGLES

1. **on** peut être remplacé par **il** ou **elle** :
   On aime (**il** aime, **elle** aime).
2. **ont** est le verbe **avoir** au présent. On peut le remplacer par **avaient, auront**… : Ils **ont** (**avaient**) du rythme.

EXERCICES

506 Conjugue à la 3e personne du pluriel au présent, puis au passé composé.

avoir bon appétit — avoir un VTT — avoir un appartement — manger une orange — traverser la rue — saluer le public — avoir de la mémoire.

507 Fais l'exercice sur le modèle suivant :

gagner → on gagne, il gagne, on gagnait, elle gagnait.

débarquer — terminer — compter — sautiller — causer — débuter.

508 Fais l'exercice sur le modèle :

avoir de la fièvre → Ils ont de la fièvre. Ils avaient de la fièvre.

avoir les cheveux frisés — avoir bon caractère.

509 Complète par ont **ou** on**. Explique l'emploi de** ont **en écrivant** avaient **entre parenthèses.** *Exemple* : Ils ont (avaient) soif.

… aime les enfants qui … bon cœur. — … joue en récréation, … travaille en classe. — Les haies … des aubépines roses.

510 Complète par ont **ou** on**. Explique l'emploi de** on **en écrivant** elle **(ou** il**) entre parenthèses.**

Les cerisiers … des cerises mûres, … en remplira des paniers. — … cueille des jonquilles. — … s'amusait, … se roulait dans l'herbe.

511 Écris deux phrases dans lesquelles tu emploieras on **et deux phrases dans lesquelles tu emploieras** ont.

512 Vocabulaire à retenir

le public — le trafic — le déclic — l'appétit — s'appliquer — apporter

513 **Copie ces phrases ; entoure les noms masculins en bleu et les noms féminins en rouge.**

Le campeur installe sa tente. — Les joueurs fêtent leur victoire. — Le merle sautille dans une allée du jardin. — Le marchand vend des fruits et des légumes. — Il tombe quelques gouttes d'eau.

514 **Copie puis souligne les noms au masculin pluriel en bleu et les noms au masculin singulier en rouge.**

Pour sa fête, Frédéric a eu des livres, des bonbons, un disque, un réveil. — Pour son anniversaire, Bérangère a reçu un robot, un déguisement, des vêtements. — Le train entre en gare, les voyageurs descendent ; un autocar les conduira au village.

515 **Copie puis souligne les noms au féminin pluriel en bleu et les noms au féminin singulier en rouge.**

Les pommes remplissent la corbeille. — La chatte s'endort sur la couverture. — Grand-mère raconte des histoires. — Mon frère répare sa mobylette. — Ma sœur monte sur mon vélo. — Maman téléphone à son amie. — Les automobiles roulent rapidement sur la route nationale. — La métérologie annonce de nombreuses averses cet après-midi. — Les bateaux à voile voguent sur l'océan.

516 **Accorde, s'il y a lieu, les noms entre parenthèses.**

La (pluie) bat contre les (vitre). — Nos (parent) préparent le (dîner). — Les (enfant) ont froid, leurs (main) sont glacées. — J'ai cassé mon (tournevis) parce que les (vis) étaient rouillées.

517 **Souligne les adjectifs qualificatifs et entoure les noms auxquels ils se rapportent.** *Exemple* : Le premier étage.

Le premier étage est complet. De nombreuses voitures s'alignent dans les vastes travées. Il faut monter aux niveaux supérieurs pour trouver des places libres. Sans ce parking immense, les automobilistes étrangers ne pourraient pas stationner dans la vieille ville.

518 **Accorde les adjectifs qualificatifs entre parenthèses.**

des couleurs (clair), des vêtements (clair) — des mains (lavé), des trottoirs (lavé) — des cheminées (noirci), des visages (noirci) — des rues (endormi), des villages (endormi) — des raisins (mûr), des pêches (mûr).

519 **Accorde les adjectifs qualificatifs entre parenthèses.**

ces pneus (neuf), ces bougies (neuf) — des classes (décoré), des albums (décoré) — des vitrines (garni), les filets (garni) — des pentes (glissant), ces parquets (glissant) — ces fleurs (parfumé), ses cheveux (parfumé) — des gestes (doux), des paroles (doux).

Révision

520 Accorde les mots entre parenthèses.

La salade est (assaisonné), elle est (mélangé) à des œufs (dur). — Quand l'omelette sera (cuit), nous nous attablerons. — Nous buvions avec plaisir, l'eau était (frais). — Les feuilles (mort) sont (chassé) par le (violent) mistral.

521 Complète par ces **ou** ses**.**

L'ouvrier nettoie … outils. — On pêche des truites dans … rivières. — Il faut avoir soin de … dents et de … yeux. — … pêches sont mûres, mais … poires ne le sont pas encore. — Monsieur Lorrain avait raison de se méfier, … craintes étaient bien fondées.

522 Complète par ces **ou** ses**.**

Le skieur réchauffe … mains dans … poches. — … comédiens sont très drôles. — Du haut de … montagnes, on a une vue superbe. — … garages sont à louer. — Le cuisinier prépare … plats et … casseroles.

523 Complète par ont **ou** on**.**

… s'attarde et … manque le train. — … boucle les ceintures de sécurité. — … lavera les rideaux qui … des taches. — … déroule des tapis qui … des motifs éclatants. — Comme les murs d'escalade … de nombreuses prises, … grimpe facilement.

524 Complète par ~~et ou est.~~ ont ou on.

Les cigognes … quitté l'Alsace dès les premiers froids. — Il pleuvait, … allongeait le pas. — Les enfants … une mine superbe. — … respecte la nature. — … mélange le rouge et le bleu pour obtenir du violet.

525 Complète par et **ou** est**. Explique l'emploi de** est **en écrivant** était **entre parenthèses.** *Exemple* : Le café est (était) chaud.

Le chat … la souris ne s'aiment pas. — La maison … vieille … abandonnée. — Le bruit … la fumée gênent les passants. — Le raisin … vert.

526 Complète par et **ou** est**.**

La pomme … la poire mûrissent en septembre. — La forêt … touffue … sombre. — Les caisses … les cartons s'entassent dans l'entrepôt. — Le marché … bruyant … animé ; Philippe … content d'y aller. — La neige … tombée toute la journée … la campagne … toute blanche.

527 Complète par ce **ou** se**.**

S'il continue à courir à … rythme, Colin … fatiguera très vite. — … petit garçon … met en colère pour un rien. — Les vagues … lancent contre les rochers. — Les oiseaux aiment à … nicher dans … marronnier. — … nouvel élève … lie très vite d'amitié avec

Alexandre et Anita. — Jean-Yves … cachait derrière … buisson. — Le navire … dirige vers l'entrée du port. — J'ouvrirai … livre dès … soir.

528 Complète par ce **ou** se.

Les enfants … baignent, puis … reposent sur le sable. — … concurrent malheureux … console en pensant qu'il a fait son possible. — Le poisson … jette sur l'hameçon. — … massif a de belles fleurs rouges.— … petit garçon … promène avec sa mère. — … soir, je prendrai … livre et je le lirai. — Le soleil … lève à l'horizon.

529 Écris les verbes au présent.

Tu (être) capable de parler espagnol. — Tu (avancer) ton pion et tu (gagner) la partie. — Quand tu (parler) fort, tu (agiter) les mains. — Tu (fermer) les yeux pour te relaxer. — Tu (nager) le crawl.

530 Écris les noms en bleu au pluriel et fais les accords nécessaires.

Le perroquet bavard a une plume verte sous son bec. — Son panier est lourd. — Ce film est fini. — La maison est belle et solide. — Cette église a de beaux vitraux. — Son doigt est enflé.

531 Écris les verbes entre parenthèses au présent.

Tu (déboucher) la bouteille. — On (réparer) le toit de l'école. — Les fourmis (traîner) des grains qu'elles (porter) à leur fourmilière.— Le marin (redouter) la tempête, il (changer) les voiles. — Les enfants (s'arrêter) devant la pâtisserie, ils (dévorer) les gâteaux des yeux.

532 Reprends l'exercice précédent et écris les verbes au futur simple.

533 Écris les noms en bleu au pluriel et fais les accords nécessaires.

La dernière flamme lèche le mur de la vieille demeure. — Son doigt, fin et agile, tape sur le clavier de l'ordinateur. — La nouvelle guitare du musicien attire le regard admiratif du spectateur.

534 Écris les mots en bleu au pluriel et fais les accords nécessaires.

La petite grenouille saute dans la mare. — Le hanneton vorace dévore la feuille humide. — La libellule bleue vole au-dessus du petit ruisseau.

535 Relève les adjectifs qualificatifs de l'exercice précédent et indique à quels noms ils se rapportent.

Exemple : petites → adj. qual., se rapporte au nom grenouilles, fém. plu.

536 Remplace le buisson **par** la haie**,** les buissons**,** les haies **et fais les accords nécessaires.**

Le buisson touffu et fleuri abrite des nids.

Révision

537 **Complète par** à **ou** a.

Corentin … mal … l'oreille. — Le clown … un costume … carreaux. — Je vais … la gare chercher mes parents. — Le mécanicien … réparé le moteur. — Maman porte une robe … la mode.

538 **Complète par** et **ou** est.

L'été … revenu, le jardin … plein d'oiseaux … d'abeilles. — Les motos … les voitures s'arrêtent car le feu … au rouge. — Le plombier … venu installer le lavabo … la baignoire ; maintenant tout … en place.

539 **Écris un petit texte dans lequel tu emploieras** et **et** est.

540 **Complète par** sont **ou** son.

… jardin est bien abrité, les arbres fruitiers … déjà en fleurs. — Les matinées … fraîches, il relève le col de … manteau. — Les enfants … en bonne santé. — Mélanie porte … bracelet en argent. — L'avare enterre … trésor dans … jardin.

541 **Écris un petit texte dans lequel tu emploieras** sont **et** son.

Conjugaison

72e leçon

Un mot qui change souvent : le verbe

Aude **chante**. Le moineau **vole**. La feuille **tombe**.
Aude **chantait**. Nous **chanterons**. Vous **avez chanté**.

RÈGLES

1. Les mots qui indiquent ce que font les personnes, les animaux et les choses s'appellent des **verbes** : le mot **chante** dit ce que fait Aude.

2. Le verbe est un mot qui peut prendre de nombreuses formes : **chante**, **chantait**, **chanterons**, **avez chanté** sont différentes formes du verbe **chanter**.

EXERCICES

542 Copie ces phrases et souligne les verbes d'un trait de couleur.

Mon oncle cultive son jardin. — Dominique tire le rideau. — Louis cueille une poire mûre. — Le vent secoue l'arbre. — La pluie glisse sur le toit. — Le passant presse le pas — Le candidat cherche la bonne réponse.

543 Copie ces phrases et souligne les verbes d'un trait de couleur.

Je prépare mon sac de sport. — Je quitte la maison. — J'entre à l'école. — Je salue le maître. — Je joue avec mes camarades. — Je monte en classe. — Nous sortons nos cahiers — Les élèves écrivent au stylo.

544 Copie ces phrases et souligne les verbes d'un trait de couleur.

Nous déjeunons sur l'herbe. — Un oiseau chante. — Une brise légère souffle. — Vous murmurez le refrain. — Tu écoutes. — Nous passons une bonne journée.

545 Copie ces phrases et souligne les verbes d'un trait de couleur.

Les douaniers contrôlent les passeports. — Le client marchande l'achat d'un aspirateur. — Les marrons roulent dans l'herbe. — Les chasseurs traquent le sanglier. — Tu modifies le programme de l'ordinateur. — Les tomates mûrissent au soleil.

546 Complète par un de ces verbes : fume, claque, souffle, plie, saute, brille, roule, brûle, sonne, coule.

Le vent … . — La branche … . — La cheminée … . — La grenouille … . — Le volet … . — La bille … . — Le soleil … . — L'eau … . — Le feu … . — La cloche … .

547 **Trouve un verbe qui dit ce que peut faire chacune de ces personnes.**

Le cycliste … . — Le guitariste … . — Le directeur … . — Le piéton … . — Le patineur … . — Le menuisier … . — L'écolier … . — Maman … . — Papa … . — Le jardinier … .

548 **Trouve un nom de personne qui peut faire l'action indiquée par chacun des ces verbes.**

… navigue. — … flotte. — … joue. — … coupe. — … chante. — … soigne. — … bêche. — … cuisine. — … récompense. — … pleure.

549 **Trouve un verbe qui dit ce que peut faire chacun de ces animaux.**

La souris … . — Le cheval … . — La guêpe … . — Le coq … . — Le porc … . — Le papillon … . — Le poisson … . — L'écureuil … . — Le perroquet … . — Le pigeon … .

550 **Écris un nom d'animal qui peut faire l'action indiquée par chacun de ces verbes.**

… aboie. — … bêle. — … miaule. — … bourdonne. — … butine. — … siffle. — … nage. — … barbote. — … glousse. — … bavarde.

551 **Trouve un verbe qui dit ce que fait chacune de ces choses.**

Le moulin … . — L'étoile … . — Le tonnerre … . — La fumée … . — L'horloge … . — La rivière … . — La locomotive … . — La voiture … . — Le linge … . — Le couteau … .

552 **Écris un nom de chose qui fait l'action indiquée par chaque verbe.**

… efface. — … vole. — … marche. — … pétille. — … éclaire. — … arrive. — … pousse. — … casse. — … tombe. — … pique.

553 **Les mots ont été mélangés. Mets-les dans l'ordre pour obtenir des phrases.**

souffle vent le — fine tombe pluie une — tourne feuille la vole et morte — joyeux le lance coq son cocorico — assiette mon dans potage le fume.

554 **Choisis trois verbes et emploie chacun d'eux dans une phrase.**

555 **Vocabulaire à retenir**

chanter — déjeuner — secouer — glisser
dormir — courir — accourir

73e leçon

Le verbe à l'infinitif

Aude chante. **chanter**
Le moineau vole. **voler**
La sonnerie retentit. **retentir**

RÈGLES

1. Les verbes qui se terminent par -er sont à l'infinitif :
   Chanter est l'infinitif de **chante.**
   Voler est l'infinitif de **vole.**
   Effacer est l'infinitif de **efface.**
2. Il existe d'autres terminaisons pour l'infinitif des verbes :
   La sonnerie retentit → verbe retentir

EXERCICES

556 Copie ces phrases, souligne les verbes et donne leur infinitif.
Exemple : La secrétaire consulte (consulter) le minitel.
Les termites attaquent le bois. — Le maire prononce un discours. — J'enlève mes chaussures. — Le gardien de but dégage son camp. — Le panneau signale un virage dangereux.

557 Copie ces phrases, souligne les verbes et donne leur infinitif.
Le garagiste vidange le réservoir. — Alice finit son devoir. — Je taille mon crayon. — Les canards mangent des grenouilles. — Mon oncle renonce à son voyage — L'alpiniste escalade la falaise.

558 Copie ces phrases, souligne les verbes et donne leur infinitif.
Tu lances la boule. — Nous ignorons ton adresse. — Vous résistez au mal de mer. — Aurélie séjourne à la campagne cet été.

559 Trouve cinq verbes qui font leur infinitif en -er.

560 Complète par : allumer, crier, écouter, attraper, regarder.
Natacha va … un disque. — Je casse du bois pour … le feu. — Les pêcheurs jettent leur ligne pour … des poissons. — On entend … les enfants sur la place — Nous allons … une cassette vidéo.

561 Vocabulaire à retenir
effacer — voler — marcher — flotter
finir — grandir — retentir

Les temps

Aujourd'hui, Marc chante.
Hier, Marc chantait. **Demain**, Marc chantera.

RÈGLES

Le moment où se fait l'action s'appelle le **temps**.
La terminaison du verbe change avec le temps :
Marc chante, chantait, chantera.

1. Lorsque l'action se fait aujourd'hui, au moment où l'on parle, le verbe est au **présent** :
Aujourd'hui, Marc chante. → **présent**

2. Lorsque l'action s'est faite, depuis un moment, hier, il y a longtemps, le verbe est au **passé** (il y a plusieurs temps pour indiquer le passé):
Hier, Marc a chanté. → **passé composé**
Hier, Marc chantait. → **imparfait**

3. Lorsque l'action se fera dans un instant, demain ou plus tard, le verbe est au **futur** :
Demain, Marc chantera. → **futur**

EXERCICES

562 Complète par : aujourd'hui, hier **ou** demain.

..., je dessinais ; ..., je découpe des images ; ..., je les collerai. — ..., tu cueillais des cerises ; ..., tu ramasses des pommes ; ..., tu chercheras des champignons dans les bois.

663 Complète par : maintenant, autrefois **ou** plus tard.

... les voyages en diligence duraient plusieurs jours ; ... on utilise des autocars rapides et confortables. — ..., le jardinier repique des salades ; ..., il récoltera de belles laitues.

564 Indique à quel temps chaque verbe est employé.

Exemple : Aujourd'hui, je joue (présent).

Demain, je raconterai des histoires drôles. — Aujourd'hui, le charcutier ferme sa boutique. — Hier, j'ai creusé un tunnel dans le sable. — Maintenant, les hirondelles arrivent ; en septembre, elles nous quitteront.

565 Vocabulaire à retenir

le drapeau — le bateau — l'oiseau — le cycliste, la bicyclette

75e leçon

Les personnes

je chante — **tu** sautes — **il** ou **elle** compte
nous rentrons — **vous** arrivez — **ils** ou **elles** jouent

RÈGLES

1. Pour conjuguer un verbe, on place successivement **je**, **tu**, **il** ou **elle**, **nous**, **vous**, **ils** ou **elles** devant le verbe.

2. Le verbe, qui varie selon le temps, varie aussi selon la personne :
Je chante, tu chantes, nous chantons, vous chantez.

3. Aux trois personnes du singulier, une seule personne fait l'action.
- la 1re personne (**je**) représente celle qui parle ;
- la 2e personne (**tu**) représente celle à qui l'on parle ;
- la 3e personne (**il**, **elle** ou **on**) représente celle de qui l'on parle.

4. Aux trois personnes du pluriel, plusieurs personnes font l'action.
- la 1re personne (**nous**) représente celles qui parlent ;
- la 2e personne (**vous**) représente celles à qui l'on parle ;
- la 3e personne (**ils** ou **elles**) représente celles de qui l'on parle.

EXERCICES

566 Indique entre parenthèses à quelle personne les verbes sont employés.

Exemple : Je lance (1re personne du singulier) un appel.

Je danse. — Tu plieras ta serviette. — Il coupait du pain. — Elle a vite calculé. — On téléphonera. — Nous parlons fort. — Vous allumerez la lampe. — Ils avaient fermé la porte. — Elles dessinent.

567 Indique entre parenthèses à quelle personne les verbes sont employés.

Tu remues les jambes. — Nous tournerons la page. — Je baissais la tête. — Ils pleuraient rarement. — Vous escaladerez la falaise. — Elles tracèrent un trait. — Le vent a brisé la branche. — Ils sursautaient au moindre bruit. — Les employés tamponneront des imprimés. — On laisse la priorité aux voitures de pompiers.

568 Écris les verbes entre parenthèses au présent et indique à quelle personne ils sont employés.

Le vent (souffler) et (arracher) les antennes de télévision. — Vous (plier) la lettre pour la mettre dans l'enveloppe. — Je (terminer) le problème pendant que mes camarades (faire) un exercice de grammaire.

La 3e personne

La chienne garde la maison. **Elle** garde la maison.
Les chiens gardent la maison. **Ils** gardent la maison

RÈGLES

1. On peut mettre un pronom de la 3e personne du singulier (**il** ou **elle**) à la place d'un nom sujet singulier :
La chienne garde la maison. **Elle** garde la maison.

2. On peut mettre un pronom de la 3e personne du pluriel (**ils** ou **elles**) à la place d'un nom sujet pluriel :
Les chiens gardent la maison. **Ils** gardent la maison.

EXERCICES

569 **Remplace** il(s) **ou** elle(s) **par l'un de ces noms :** le client, les canards, le pâtissier, les serpents, l'autoroute, les secrétaires, les gendarmes.

Ils rampent dans l'herbe. — Ils contrôlent les véhicules. — Elle contourne la ville. — Ils barbotent dans la mare. — Il marchande avant d'acheter. — Elles rédigent un rapport. — Il prépare un gâteau.

570 **Remplace** il(s) **ou** elle(s) **par l'un de ces noms :** les cheminées, les jardiniers, les fouets, la conductrice, les skieurs, le vent.

Ils glissent sur la neige fraîche. — Elles fument. — Il souffle avec force. — Ils claquent. — Elle freine brusquement. — Ils arrosent les fleurs.

571 **Remplace** il(s) **ou** elle(s) **par un nom qui convient.**

Elle brille la nuit. — Il détale devant le chasseur. — Elles donnent du lait. — Ils attendent le début du spectacle.

572 **Complète par la terminaison qui convient : -**e **ou -**ent**.**

Le camion démarr... lentement. — La chèvre brout... l'herbe. — Les torrents charri... de nombreux galets. — Le chat guett... l'oiseau.

573 **Écris le nom en bleu au pluriel et fais les accords nécessaires.**

Le bateau chavire. — La mouche bourdonne. — La lampe clignote.

574 **Vocabulaire à retenir**

le point, la pointure, pointer
le poing, le poignet, la poignée, le poignard

77ᵉ leçon

La phrase contient deux verbes

Je **cherche** la réponse et je la **trouve**.

RÈGLE

Dans une phrase, il peut y avoir deux verbes conjugués à la même personne.

Je **cherche** la réponse et je la **trouve**.

EXERCICES

575 Conjugue au présent.

découper et coller des images
jouer au loto et gagner
trébucher sur une pierre et tomber
écrire et réciter un poème

576 Écris les verbes entre parenthèses au présent.

Nous (regrouper) les joueurs et nous (nommer) un capitaine. — Tu (monter) dans une barque et tu (ramer) vigoureusement. — Vous (rencontrer) un camarade et vous lui (parler). — Ils (terminer) la lecture et ils (regarder) l'illustration.

577 Écris les verbes entre parenthèses au présent.

Je (déchirer) le papier et je le (froisser) dans ma main. — Il (sonner) à la porte et il (entrer) immédiatement. — Vous (gonfler) la poitrine et vous (inspirer) de l'air pur. — Nous (brosser) et nous (démêler) nos cheveux. — Ils (pousser) un cri et ils (s'écrouler).

578 Écris les verbes à la 2ᵉ personne du singulier du présent.

grelotter et claquer des dents — désherber et ratisser une allée — conjuguer un verbe et souligner les terminaisons — griller et beurrer des tartines — passer un manteau et le boutonner.

579 Écris les verbes à la 3ᵉ personne du pluriel du présent. (Choisis un nom sujet.)

laver et repasser les draps — repiquer des salades et planter des pommes de terre — sauter sur les souris et les croquer — partager le gâteau et le distribuer.

580 Emploie deux verbes en -er, au présent, dans un petit texte.

581 Vocabulaire à retenir

le loto, la loterie, le lot — le chef — le relief — l'œuf — le bœuf

L'apostrophe (') dans la conjugaison

J'arrive sur la plage et je **m'**amuse.

RÈGLE

Devant les verbes commençant par une voyelle et devant certains verbes commençant par la lettre h, il faut écrire j', m', t', s' au lieu de je, me, te, se. L'apostrophe remplace la lettre e :
j'arrive, je m'amuse, tu t'amuses, elle s'amuse, ils s'amusent.

EXERCICES

582 Conjugue au présent.
écarter les doigts — s'égarer dans le bois — éplucher les légumes — s'égratigner les mains — écouter attentivement.

583 Choisis deux de ces verbes et conjugue-les au présent.
oublier avaler arroser avancer accepter abandonner

584 Choisis deux de ces verbes et conjugue-les au présent.
s'occuper s'habiller s'installer s'éloigner s'écarter s'élancer

585 Écris les verbes à la 1re personne du singulier du présent.
(apporter) un sac en plastique — (accompagner) des amis à la gare — (enjamber) la barrière — (enrouler) la ficelle — (étaler) la peinture.

586 Écris les verbes à la 1re personne du singulier du présent.
(s'amuser) avec des voitures — (s'envelopper) dans une couverture.

587 Écris les verbes entre parenthèses au présent.
Je (s'enfermer) dans ma chambre et je (écouter) de la musique. — Tu (s'écorcher) les genoux. — Comme il a peur des fantômes, Fabien (s'armer) d'un balai. — Le verbe (s'accorder) avec son sujet.

588 Écris les verbes entre parenthèses au présent.
Les étoiles (s'allumer) dans le ciel. — En été, les réserves d'eau (s'épuiser). — Ces deux amis (s'adorer). — Le campeur (s'isoler) pour dormir au calme. — Il (assister) à un accident.

589 Vocabulaire à retenir
accepter — abandonner — allumer
s'appliquer — s'avancer — s'habiller — s'accouder

79e leçon

Le verbe chanter au présent

Aujourd'hui, je **chante** un refrain joyeux.

RÈGLE

Au présent, le verbe **chanter** prend les terminaisons suivantes : -e, -es, -e, -ons, -ez, -ent.

chanter	je chante	nous chantons
	tu chantes	vous chantez
	il chante	elles chantent

EXERCICES

590 **Conjugue** chanter un refrain **au présent et entoure les terminaisons.**

591 **Conjugue au présent.**
chanter en marchant — chanter à tue-tête.

592 **Conjugue le verbe** chanter **au présent, en remplaçant, pour chaque personne, le complément** un refrain joyeux **par un de ces compléments.**
un couplet — une chanson — une ritournelle — une complainte — un air — une mélodie.

593 **Complète par la terminaison du présent qui convient.**
Nous chant... en chœur. — Tu chant... fort. — Vous chant... en bricolant. — Il chant... bien. — On chant... en duo. — Elles chant... lentement. — Je chant... sans arrêt. — Ils chant... juste. — Elles chant... à la chorale.

594 **Copie ces mots en entourant les lettres** an.
chanter — le chanteur — la chanteuse — le chant — la chanson — la chansonnette — chantonner — enchanteur.

595 **Trouve trois noms d'animaux qui peuvent** chanter.
Exemple : Le coq chante.

596 **Emploie le verbe** chanter, **au présent, dans un petit texte.**

597 **Vocabulaire à retenir**
chanter — le chanteur — la chanson — le chant

Les verbes en -er au présent

Je saute, je glisse, mais je ne tombe pas.

RÈGLES

1. Quand on sait conjuguer le verbe **chanter** au présent, on sait conjuguer presque tous les verbes en **-er**.

2. Au présent, les verbes en **-er** prennent les terminaisons suivantes : -e, -es, -e, -ons, -ez, -ent.

sauter	je	saute	**glisser**	je	glisse	**tomber**	je	tombe
	tu	sautes		tu	glisses		tu	tombes
	elle	saute		il	glisse		elle	tombe
	nous	sautons		nous	glissons		nous	tombons
	vous	sautez		vous	glissez		vous	tombez
	ils	sautent		elles	glissent		ils	tombent

EXERCICES

598 Conjugue au présent.

baisser les yeux — dessiner un bateau — pousser la porte
photographier un paysage — tailler un crayon — laver le linge

599 Conjugue le verbe donner **au présent en ajoutant un complément différent à chaque personne.**

Exemple : Je donne des fleurs ; tu donnes des nouvelles…

600 Conjugue le verbe fermer **au présent en ajoutant un complément différent à chaque personne.**

601 Choisis un de ces verbes et conjugue-le au présent.

parler — rester — rêver — chercher — creuser — réciter
visiter — pleurer — gagner — tirer — calculer — bavarder

602 Complète avec la terminaison du présent qui convient.

Il devin… notre secret. — Elle entr… à la banque. — Nous aim… les fruits. — Vous manqu… la cible. — Ils galop… . — Elles écout… les conseils. — Tu branch… ton lecteur de disques. — Elle câlin… son ours.

603 Écris les verbes entre parenthèses au présent.

Nous (terminer) notre devoir. — Ils (tourner) en rond. — Elle (déjeuner). — Vous (rencontrer) un ami. — Elles (reculer) leurs pions. — Je (redoubler) d'attention. — Tu (jongler) avec trois balles.

604 Écris les verbes entre parenthèses au présent.

Tu (couper) le pain. — Nous (arroser) le gazon. — Elle (guetter) l'arrivée des pompiers. — Je (courber) la tête. — Ils (respirer) l'air pur. — Vous (porter) un sac. — Il (monter) dans le métro.

605 Écris les verbes à la 2e personne du singulier du présent.

frotter la table — trouver des cassettes — chercher la solution — cirer les chaussures — grimper à l'arbre — garer sa voiture.

606 Écris les verbes à la 1re personne du pluriel du présent.

afficher des posters — préparer les valises — planter des clous — monter l'escalier — tousser beaucoup — caresser le chien — montrer des photos.

607 Écris les verbes à la 2e personne du pluriel du présent.

rapporter des coquillages — déchirer du papier — garder le silence — beurrer des tartines — collectionner des timbres —flairer une bonne affaire.

608 Écris les verbes à la 3e personne du singulier, puis à la 3e personne du pluriel du présent.

Exemple : saigner → il saigne ; elle saigne ; ils saignent ; elles saignent.

gambader — trottiner — aimer la banlieue — quitter la maison.

609 Complète par le sujet qui convient : je, tu, il, elle, nous, vous, ils, elles.

… transpires à grosses gouttes. — … bêche son jardin. — … habille sa poupée. — … rattrape mon ballon. — … goûtons ces chocolats. — … campent au bord de la mer. — … chahutent.

610 Copie ces phrases, puis récris-les en mettant les verbes à la personne correspondante du singulier ou du pluriel.

Exemple : Je tire une carte. → Nous tirons une carte.
Elles rêvent souvent. → Elle rêve souvent.

Il ne pleurniche jamais. — Nous penchons la tête. — Tu débouches la bouteille. — Elles manquent le train. — Je chausse mes skis. — Ils trient des lettres. — Vous brisez un verre. — Elle dépense peu d'argent.

611 Emploie dans une courte phrase chacun de ces verbes au présent.

sonner — coller — soigner — exagérer — inventer.

612 Écris un petit texte en employant des verbes en -er au présent.

613 Vocabulaire à retenir

attraper, rattraper, la trappe — skier, le ski, le skieur, la skieuse

Les verbes en -ier au présent

Je copie le résumé et je l'étudie.

RÈGLE

Au présent, les terminaisons du singulier et celle de la 3e personne du pluriel des verbes en -ier ne s'entendent pas.

Mais il faut toujours mettre -e, -es, -e, -ent parce que ce sont des verbes en -er : je copie, tu copies, il copie, ils copient.

copier	je	copie	nous	copions
	tu	copies	vous	copiez
	elle	copie	elles	copient

EXERCICES

614 Conjugue au présent.

plier la nappe — oublier un rendez-vous — apprécier le chocolat — simplifier une réponse — bénéficier de circonstances favorables.

615 Choisis un verbe dans cette liste et conjugue-le au présent.

vérifier — colorier — multiplier — crier — balbutier.

616 Écris les verbes entre parenthèses au présent.

Tu (varier) les itinéraires pour aller à l'école. — Nous (skier) sur une piste rouge. — Le malheureux (mendier) pour manger. — Le fleuriste (lier) des roses et des iris. — Je (trier) des images.

617 Écris les verbes entre parenthèses au présent.

Tu (contrarier) mes projets. — L'employé (photocopier) une facture. — Elle (sacrifier) cinq minutes de son temps pour nous répondre. — Les sculpteurs (copier) un modèle. — Les juges (disqualifier) un coureur.

618 Écris les verbes entre parenthèses au présent.

Mon père (photographier) la famille. — Tu (remercier) ta grand-mère pour le cadeau de Noël. — Vous (scier) des bûches. — Je (déplier) le journal. — Les joueurs (parier) sur un bon numéro.

619 Emploie deux verbes en -ier, au présent, dans deux phrases.

620 Vocabulaire à retenir

sacrifier — scier — déplier — photographier — vérifier — oublier

82e leçon

Les verbes en -uer et en -ouer au présent

Tu joues de la guitare et tu salues le public.

RÈGLE

Au présent, les terminaisons du singulier et celle de la 3e personne du pluriel des verbes en -uer et -ouer ne s'entendent pas. Mais il faut toujours mettre -e, -es, -e, -ent parce que ce sont des verbes en -er :

je joue, tu joues, elle joue, ils jouent
je salue, tu salues, elle salue, ils saluent.

jouer	je joue	nous jouons		**saluer**	je	salue	nous	saluons
	tu joues	vous jouez			tu	salues	vous	saluez
	il joue	ils jouent			elle	salue	elles	saluent

EXERCICES

621 Conjugue au présent.

secouer le tapis — tuer un moustique — remuer les pieds — rejouer le même pion — évaluer les dégâts — louer un VTT.

622 Choisis un de ces verbes et conjugue-le au présent.

avouer — éternuer — continuer — échouer.

623 Écris les verbes entre parenthèses au présent.

Les rideaux (atténuer) la lumière du soleil. — Nous (trouer) nos chaussures. — Il (dénouer) sa cravate. — L'entraîneur (attribuer) une position à chaque joueur. — Vous (évoluer) en musique.

624 Écris les verbes entre parenthèses au présent.

L'accusé (avouer) sa faute. — La fumée de l'usine (polluer) l'air. — Je (nouer) les lacets de mes souliers. — Ils (saluer) la foule. — Vous (jouer) aux dames. — La foule (évacuer) les gradins en silence.

625 Écris les verbes entre parenthèses au présent.

Je (continuer) mon devoir et tu (colorier) ton dessin. — Le président (féliciter) les footballeurs et leur (distribuer) des médailles.

626 Vocabulaire à retenir

jouer — avouer — trouer — saluer — habituer — éternuer

Les verbes comme se cacher au présent

Je **me** cache derrière lui. Tu **te** caches derrière lui.

RÈGLE

Certains verbes, comme **se cacher**, se conjuguent en changeant le petit mot **se** selon les personnes : je **me** cache, tu **te** caches.

se cacher	je **me** cache	nous **nous** cachons
	tu **te** caches	vous **vous** cachez
	il **se** cache	ils **se** cachent

EXERCICES

627 Conjugue au présent.

se regarder dans la glace — se boucher le nez — se baigner dans la rivière.

628 Choisis un verbe dans cette liste et conjugue-le au présent.

se couper — se soigner — se chauffer — se brûler — se retourner.

629 Écris les verbes entre parenthèses au présent.

Je (se débarbouiller). — Tu (se laver) les mains. — Sur le terrain, il (se dépenser) sans compter. — Nous (se baisser) pour passer sous la branche. — Vous (se blesser) avec un couteau.

630 Écris les verbes entre parenthèses au présent.

Les endives (se manger) cuites ou crues. — Je (se coucher) sur le sable. — Tu (se régaler) de confitures. — Nous (se cacher) dans le garage et nous (se retrouver) dans le noir. — L'acteur (se préparer) à jouer.

631 Écris les verbes entre parenthèses au présent.

Mon père (se raser) tous les matins. — Vous (se partager) le gâteau. — La nature (se réveiller) au printemps. — Tu (se reculer) pour mieux sauter. — La baignoire (se vider) en quelques minutes.

632 Emploie les verbes se dépêcher, se réveiller, se préparer **dans un petit texte.**

633 Vocabulaire à retenir

se sauver — se regarder — se chauffer — se peigner — se réveiller

84e leçon

Le verbe être au présent

Je **suis** dans l'ascenseur.

RÈGLE

Le verbe **être** ne ressemble pas aux autres verbes, mais c'est un verbe très important parce qu'il est très fréquent.
Il faut bien savoir le conjuguer :

être	je suis	nous sommes
	tu es	vous êtes
	elle est	elles sont

EXERCICES

634 Conjugue être dans l'ascenseur **au présent et entoure le verbe** être.

635 Conjugue au présent.
être au sommet de la côte — être d'accord — être sur ses gardes

636 Conjugue le verbe être **au présent en remplaçant, à chaque personne, l'expression** dans l'ascenseur **par une de ces expressions.**
à la campagne — à la montagne — au bord de la mer — près de la rivière.

637 Complète par le verbe être **au présent.**
Je ... au cinéma. — Tu ... au stade. — Elle ... au théâtre. — Nous ... au cirque. — Vous ... à la fête foraine. — Ils ... au gymnase.

638 Complète par le verbe être **au présent.**
Tu ... à la cave. — Vous ... au travail. — La voiture ... au garage. — Nous ... dans le train. — L'avion ... à l'heure. — M. Pin ... au chômage.

639 Complète par le verbe être **au présent.**
Le poisson ... dans son aquarium. — Les élèves ... en récréation. — Les pigeons ... sur le toit. — Mon petit frère ... dans son berceau.

640 Copie les phrases, puis écris le verbe être **à la personne correspondante du pluriel.** *Exemple* : Tu es à table. → Vous êtes à table.
Je suis au lit. — Tu es dans un fauteuil. — La clé est sur la porte.

641 Vocabulaire à retenir
le stade — le théâtre — le maçon — le poisson — le pigeon

Le verbe avoir au présent

Aujourd'hui, j'**ai** sept ans, c'est mon anniversaire.

RÈGLE

Le verbe **avoir** ne ressemble pas aux autres verbes, mais c'est un verbe très important car il est très fréquent. Il faut bien savoir le conjuguer.

avoir	j' ai	nous avons
	tu as	vous avez
	il a	ils ont

EXERCICES

642 Conjugue j'ai sept ans **au présent et entoure le verbe** avoir.

643 Conjugue au présent.
avoir des frissons — avoir envie de rire — avoir un stylo.

644 Conjugue le verbe avoir **au présent en utilisant pour chaque personne un des compléments suivants :**
un chien, un chat, une tortue, un cobaye, un poisson rouge, un oiseau.

645 Conjugue le verbe avoir **au présent. Utilise pour chaque personne un complément qui désigne un objet de ton choix.**

646 Complète par le verbe avoir **au présent.**
Tu … un anorak. — Nous … des gants noirs. — Vous … des baskets. — J' … un bonnet. — Les pompiers … un casque. — Elle … un jeu vidéo.

647 Complète par le verbe avoir **au présent.**
Le lion … une belle crinière. — Les papillons … des ailes veloutées. — L'éléphant … une trompe. — Les hirondelles … un vol rapide.

648 Copie les phrases, puis écris le verbe avoir **à la personne correspondante du pluriel.**
Exemple : Tu as un dictionnaire. → Vous avez un dictionnaire.
J'ai du retard. — Tu as une idée. — Il a des fourmis dans les jambes. — La fenêtre a des rideaux. — Le camion a d'énormes pneus.

649 Vocabulaire à retenir
le pneu, les pneus — le short, les shorts — un stylo, les stylos

86e leçon

Le verbe chanter à l'imparfait

Hier, je **chantais** un refrain joyeux.

RÈGLE

À l'imparfait, le verbe **chanter** prend les terminaisons suivantes : **-ais, -ais, -ait, -ions, -iez, -aient.**

chanter	je chantais	nous chantions
	tu chantais	vous chantiez
	il chantait	ils chantaient

EXERCICES

650 Conjugue Hier, je chantais un refrain joyeux **à l'imparfait et entoure les terminaisons du verbe.**

651 Conjugue à l'imparfait.

chanter en public — chanter une berceuse — chanter une chanson — chanter toutes les semaines — chanter un couplet.

652 Conjugue le verbe chanter **à l'imparfait et trouve pour chaque personne un complément de ton choix.**

653 Complète par la terminaison de l'imparfait qui convient.

Tu chant... comme un rossignol. — Elle chant... très juste. — Nous chant... une chanson à la mode. — Je chant... souvent. — Vous chant... trop vite. — Ils chant... en chœur. — On chant... sous la pluie. — Le coq chant... au petit matin. — Elles... en travaillant.

654 Complète par le verbe chanter **à l'imparfait.**

L'eau ... dans la casserole. — Les alouettes ... au lever du soleil. — Les peintres ... sur leur échelle. — Le fanfaron ... déjà victoire. — Le grillon ... dans son trou. — Les enfants de la chorale ... à mi-voix. — Les invités ... les louanges de la cuisinière. — Hier, nous ... à pleine voix en rentrant à la maison. — Tu ... sous la douche.

655 Emploie le verbe chanter **à l'imparfait dans trois courtes phrases.**

656 Vocabulaire à retenir

un refrain — une berceuse — un air — chanter en chœur — la chorale
une chanson — le chanteur

Les verbes en -er à l'imparfait

Autrefois, l'homme chassait et pêchait pour survivre.

RÈGLE

À l'imparfait, tous les verbes en -**er** prennent les mêmes terminaisons : -ais, -ais, -ait, -ions, -iez, -aient ; il chantait, il chassait, il pêchait.

chasser	je chassais	nous chassions	**pêcher**	je pêchais	nous pêchions
	tu chassais	vous chassiez		tu pêchais	vous pêchiez
	elle chassait	elles chassaient		il pêchait	ils pêchaient

EXERCICES

657 Conjugue chasser et pêcher **à l'imparfait et entoure les terminaisons des verbes.**

658 Conjugue à l'imparfait.

découper des guirlandes — cirer les souliers — allumer les bougies — fabriquer des étoiles — accrocher des boules — chercher les cadeaux.

659 Conjugue à l'imparfait.

regarder un film et pleurer de rire — grimper l'escalier et frapper à la porte — fermer la fenêtre et tirer les rideaux.

660 Conjugue le verbe couper **à l'imparfait en ajoutant un complément différent à chaque personne.**

Exemple : Je coupais du bois, tu coupais du fromage…

661 Choisis un de ces verbes et conjugue-le à l'imparfait.

voler	arriver	débuter	tomber	approcher	reculer
parler	danser	déjeuner	rester	sonner	téléphoner

662 Écris les terminaisons des verbes de l'imparfait.

Tu vid… ton verre. — Vous class… les fiches dans le tiroir. — La voiture recul… pour se ranger le long du trottoir. — Nous approch… du but. — Les engins tir… les arbres pour dégager la route. — Je complét… le questionnaire.

663 Écris les verbes entre parenthèses à l'imparfait.

La pluie (tomber). — Elles (accompagner) une amie. — Vous (hâter) le pas. — Le vent (siffler). — Je (fermer) mon manteau. — Nous (rentrer) à la maison. — Quand les voisins (frapper) au mur, tu (baisser) le son.

664 **Écris les verbes à la 2e personne du singulier de l'imparfait.**

gagner le gros lot — annuler sa réservation — chercher un numéro — rebrousser chemin — répéter la consigne.

665 **Écris les verbes entre parenthèses à l'imparfait.**

Les patineurs (glisser) avec grâce. — Les fumées (monter) des toits. — Le moteur (tourner) en silence. — Le froid (geler) les doigts. — La pluie (couler) sur les chemins. — Renaud (enregistrer) un disque.

666 **Écris ces verbes à la 3e personne du singulier, puis à la 3e personne du pluriel de l'imparfait.**

Exemple : sauter de joie → Il sautait de joie. Elle sautait de joie. Ils sautaient de joie. Elles sautaient de joie.

additionner deux nombres — trembler de peur — élever ses enfants.

667 **Copie ces phrases et écris le verbe à la personne correspondante du singulier ou du pluriel.**

Exemple : Je dînais au restaurant. → Nous dînions au restaurant.

Nous préparions le repas. — Elle goûtait la sauce. — Elles baissaient la tête. — Je consolais un ami. — Ils portaient le carton. — Vous traversiez la rue.

668 **Écris les verbes à la 2e personne du singulier au présent, puis à l'imparfait. Entoure la terminaison.**

donner du grain aux oiseaux — respecter les pelouses — imaginer la fin de l'histoire — aligner des chiffres — caresser le chien.

669 **Écris les verbes à la 2e personne du pluriel au présent, puis à l'imparfait. Entoure la terminaison.**

accepter un cadeau — saler les frites — hausser la voix — ôter ses gants — écouter les conseils — retrousser ses manches — échanger des vœux — parler dans l'hygiaphone — fignoler son travail.

670 **Écris, entre parenthèses, l'infinitif du verbe, son temps, sa personne.**

Exemple : Le soleil brillait. (v. briller, imparfait, 3e personne du singulier).

Tu arbitrais tous les matchs. — La lavande parfumait la maison. — Les côtelettes grillaient dans la poêle. — Vous insistiez pour nous aider. — Tu occupais tes soirées à faire des puzzles. — Je comptais des billets.

671 **Emploie des verbes en -er à l'imparfait dans un petit texte.**

672 **Vocabulaire à retenir**

annuler — additionner — aligner — le match — le puzzle — la pizza

Les verbes en -ouer et -uer à l'imparfait

Le menuisier clouait des planches.
Le maître distribuait les fiches.

RÈGLE

À l'imparfait, tous les verbes prennent les mêmes terminaisons : -ais, -ais, -ait, -ions, -iez, -aient : il chantait, il clouait, il distribuait.

clouer		distribuer	
je clouais	nous clouions	je distribuais	nous distribuions
tu clouais	vous clouiez	tu distribuais	vous distribuiez
elle clouait	elles clouaient	il distribuait	ils distribuaient

EXERCICES

673 Conjugue à l'imparfait.

clouer une caisse
rejouer une pièce
continuer son chemin
attribuer un numéro
avouer son erreur
évaluer les dégâts
nouer une ficelle
accentuer son effort
éternuer plusieurs fois

674 Écris les verbes entre parenthèses à l'imparfait.

Tu (dénouer) les lacets de tes chaussures. — Chaque année, je (louer) des skis de fond. — Les morceaux de sucre (atténuer) le goût amer du café. — Vous (trouer) la cible à chaque coup. — Avec Sandrine, je (jouer) à la pétanque presque tous les jours.

675 Écris les verbes entre parenthèses à l'imparfait.

Le renard (tuer) la poule. — Tu (secouer) le cerisier pour faire tomber les fruits. — Elle (amadouer) le chien avec de douces caresses. — Bertrand (effectuer) un triple saut périlleux. — Marcel (distribuer) des cassettes de jeux vidéo à ses camarades. — Médor (remuer) la queue pour exprimer sa joie lorsque nous rentrions. — Les touristes soigneux ne (polluer) pas le littoral.

676 Emploie des verbes en -ouer et -uer à l'imparfait dans un petit texte.

677 Vocabulaire à retenir

une fois — le foie — le cou (sous la tête) — un coup (de poing)

89e leçon

Le verbe être à l'imparfait

Hier, j'**étais** au spectacle et j'**étais** émerveillé.

RÈGLE

À l'imparfait, le verbe **être** a les mêmes terminaisons que les autres verbes : -ais, -ais, -ait, -ions, -iez, -aient ; je chantais, je jouais, j'étais.

Remarque : Quand un participe passé est employé avec **être**, il faut l'accorder avec le sujet du verbe :

Il était émerveillé. → Elles étaient émerveill**ées**.

être	j' étais	nous étions
	tu étais	vous étiez
	il était	ils étaient

EXERCICES

678 Conjugue Hier, j'étais émerveillé **à l'imparfait ; entoure les terminaisons du verbe** être **et souligne l'accord du participe passé.**

679 Conjugue à l'imparfait.

être en voyage et être content — être poli et être souriant — être devant la tour Eiffel et être sous le charme — être grand et être mince — être en retard mais être excusable — être à la cave et être dans le noir — être en équilibre et être en danger.

680 Complète avec le verbe être **à l'imparfait.**

J'... le seul visiteur du musée. — Vous ... à la porte du stade dès dix heures. — Jérémie ... dans sa chambre. — Elles ... devant le poste de télévision. — Les représentants de commerce ... au restaurant.

681 Écris les verbes à l'imparfait.

Le manège est en panne. — Les avions sont sur la piste d'envol. — Tes amis sont au rendez-vous mais tu n'es pas là. — Après les vacances, vous êtes en pleine forme. — À sept heures, nous sommes déjà au travail.

682 Conjugue le verbe être **à l'imparfait, suivi d'un nom de commerçant ou d'artisan. Ce nom changera à chaque personne.**

683 Vocabulaire à retenir

le pharmacien — l'électricien — le mécanicien
le cordonnier — le charcutier — l'épicier

Le verbe avoir à l'imparfait

L'année dernière, j'**avais** moins de travail.

RÈGLE

À l'imparfait, le verbe **avoir** a les mêmes terminaisons que les autres verbes : -ais, -ais, -ait, -ions, -iez, -aient : je chantais, je jouais, j'avais.

avoir	j'	avais	nous	avions
	tu	avais	vous	aviez
	elle	avait	elles	avaient

EXERCICES

684 **Conjugue** L'année dernière, j'avais moins de travail **à l'imparfait et entoure les terminaisons du verbe** avoir.

685 **Conjugue à l'imparfait.**

être à table et avoir faim — être au cirque et avoir une bonne place — avoir un chien et l'aimer.

686 **Complète par le verbe** avoir **à l'imparfait.**

J'… les mains glacées. — Tu … mal aux dents. — Nadia … une jolie lampe de chevet. — Nous … une collection de bandes dessinées.

687 **Complète par le verbe** avoir **à l'imparfait.**

Tu … de la fièvre et tu … soif. — L'an dernier, vous … beaucoup d'amis. — J'… l'adresse du magasin sur mon carnet. — Nous … des stylos de toutes les couleurs. — Les moustiques … la vie dure !

688 **Écris les verbes à l'imparfait.**

Tu es franc, j'ai confiance en toi. — Tu as un nouveau disque. — Monsieur Raynaud a un téléphone portable mais il ne l'utilise jamais.

689 **Conjugue le verbe** avoir **à l'imparfait suivi d'un nom d'animal domestique ; tu changeras d'animal pour chaque personne.**

690 **Conjugue le verbe** avoir **à l'imparfait suivi d'un nom d'objet ; tu changeras d'objet pour chaque personne.**

691 **Vocabulaire à retenir**

la couleur — le bonheur — le malheur — la collection

Les verbes en -cer au présent et à l'imparfait

Ce matin, je traçais les lignes de but.
Maintenant, je lance le ballon.

RÈGLE

Les verbes en **-cer** prennent une cédille sous le **c** devant **a** et **o** pour conserver à la lettre **c** le son [s] : je traçais, nous lançons.

présent				imparfait			
je	trace	nous	traçons	je	traçais	nous	tracions
tu	traces	vous	tracez	tu	traçais	vous	traciez
elle	trace	elles	tracent	il	traçait	ils	traçaient

EXERCICES

692 Conjugue au présent et à l'imparfait.

effacer une tache
espacer ses visites
sucer une pastille
placer son argent
avancer vite
froncer les sourcils

693 Écris les verbes entre parenthèses au présent.

Nous (remplacer) les piles du transistor. — Tu (se pincer) le doigt. — Vous (devancer) les questions en donnant les réponses.

694 Écris les verbes entre parenthèses à l'imparfait.

Je (grimacer) de douleur. — Vous (percer) les murs. — Je (renoncer) à cette offre. — Le désordre de notre chambre (agacer) nos parents.

695 Écris successivement les verbes au présent et à l'imparfait.

Le froid (glacer) les os. — Les portières (grincer). — Tu (coincer) les photographies entre les pages du livre. — Nous (annoncer) une bonne nouvelle à nos amis. — Vous (prononcer) bien les mots anglais.

696 Complète par c ou ç.

Nous rin...ons les verres. — Ils s'exer...aient au tir à l'arc. — En hiver, le froid ger...e les mains. — Les arbres balan...ent leurs branches au gré du vent. — Le chanteur dédica...ait ses disques.

697 Vocabulaire à retenir

grincer — agacer — commencer — s'élancer — avancer — effacer

Les verbes en -ger au présent et à l'imparfait

Avant, il nag**e**ait. Aujourd'hui, il plong**e**.

RÈGLE

Les verbes en **-ger** prennent un **e** muet après le g devant **a** et **o** pour conserver à la lettre **g** le son [ʒ] : il plong**e**ait, nous nag**e**ons.

présent		imparfait	
je nage	nous nageons	je nageais	nous nagions
tu nages	vous nagez	tu nageais	vous nagiez
il nage	ils nagent	elle nageait	elles nageaient

EXERCICES

698 Conjugue au présent et à l'imparfait.

partager un trésor — charger la voiture — corriger la dictée
manger un gâteau — ranger sa chambre — voyager en avion

699 Écris ces verbes à la 1re personne du pluriel du présent, puis de l'imparfait. Entoure les terminaisons.

déranger les voisins — prolonger la veillée — engager la conversation
mélanger les couleurs — déménager le canapé — échanger des timbres

700 Écris les verbes à l'imparfait.

Je (loger) dans un petit appartement. — Tu (négliger) l'entretien de ton vélo. — Le jour de l'examen, le professeur (interroger) les candidats.

701 Écris les verbes au présent, puis à l'imparfait.

Nous (encourager) les coureurs. — Vous (patauger) dans la boue. — Nous (longer) la rivière. — Vous (protéger) vos vêtements de la pluie.

702 Emploie dans une courte phrase (une fois au présent, une fois à l'imparfait) chacun de ces verbes avec deux noms d'animaux.

Exemple : ravager → Le sanglier ravage les champs de maïs.
L'éléphant ravageait les plantations.

voltiger — égorger — ronger — manger — s'allonger.

703 Vocabulaire à retenir

encourager — avantager — partager — s'allonger — interroger

93e leçon

Le verbe chanter au futur

Après la classe, je **chanter**ai à la chorale.

RÈGLES

1. Au futur, le verbe **chanter** prend les terminaisons suivantes : -ai, -as, -a, -ons, -ez, -ont, toujours précédées de la lettre r :
   je chanterai, tu chanteras.
2. Au futur, le verbe **chanter** conserve son infinitif en entier :
   je chanter-ai, nous chanter-ons.

chanter	je chanterai	nous chanterons
	tu chanteras	vous chanterez
	il chantera	ils chanteront

EXERCICES

704 Conjugue Je chanterai à la chorale **au futur et entoure les terminaisons du verbe.**

705 Conjugue au futur.

chanter pendant la promenade — chanter pour passer le temps.

706 Conjugue le verbe chanter **au futur en remplaçant, pour chaque personne, le complément** à la chorale **par une de ces expressions.**

une ronde entraînante — un seul couplet — un vieux refrain — un air à la mode — une chanson bretonne — une berceuse reposante.

707 Complète par la terminaison du futur qui convient.

Nous chanter... en mesure. — Tu chanter... sur ton bateau. — Je chanter... accompagnée d'une guitare. — Pour la fête de Noël, les élèves chanter... sur scène. — Vous chanter... en duo.

708 Écris chanter **au temps qui convient : présent, imparfait ou futur.**

Aujourd'hui il ... de mémoire une mélodie d'autrefois. — Hier, tu ... sous la douche. — Demain, vous ... à l'école de musique.

709 Emploie le verbe chanter **au futur dans un petit texte.**

710 Vocabulaire à retenir

la mesure — la musique — la mélodie
une berceuse — un berceau — bercer

Les verbes en -er au futur

Bientôt, je sonnerai à la porte et j'entrerai aussitôt.

RÈGLES

1. Au futur, tous les verbes prennent les mêmes terminaisons : -ai, -as, -a, -ons, -ez, -ont, toujours précédées de la lettre r :
   je chanterai, je sonnerai, j'entrerai.

2. Au futur, les verbes en **-er** conservent généralement leur infinitif en entier : je sonner-ai, nous entrer-ons.

sonner	je	sonnerai	nous	sonnerons
	tu	sonneras	vous	sonnerez
	elle	sonnera	elles	sonneront

EXERCICES

711 Conjugue Bientôt, je sonnerai à la porte et j'entrerai aussitôt **au futur et entoure les terminaisons des verbes.**

712 Conjugue au futur.

nager sur le dos — surveiller le lait — regagner la terre ferme

713 Choisis un de ces verbes et conjugue-le au futur.

sauter — grimper — pleurer — glisser — se moucher — se laver.

714 Écris les verbes entre parenthèses au futur.

Francine (emporter) sa flûte et elle en (jouer) ce soir. — À la frontière, Monsieur Dupont (présenter) son passeport. — Vous (tailler) vos crayons et vous (dessiner). — Tu (décrocher) le téléphone et tu (composer) le numéro de ton amie Solange. — Nous (gonfler) le matelas pneumatique.

715 Indique l'infinitif du verbe, le temps et la personne.

Exemple : Tu souffleras fort. → verbe souffler, futur, 2e pers. du sing.

Nous dînerons tard. — Je mangerai des frites. — Vous bouclerez votre ceinture de sécurité. — Ils rentreront la voiture au garage. — Nous changerons de combinaison de ski l'année prochaine.

716 Emploie trois verbes en -er au futur dans un petit texte.

717 Vocabulaire à retenir

au cours de la soirée — la cour de récréation — le cours de musique

95e leçon

Les verbes en -ier, -ouer, -uer au futur

J'étudierai le solfège et je jouerai du piano.

RÈGLE

Pour bien écrire un verbe en **-ier**, **-ouer** ou **-uer** au futur, il faut penser à son infinitif pour ne pas oublier le **e** muet :

j'étudierai, je **jouerai**, je **continuerai**.

étudier		jouer		continuer	
j'	étudierai	je	jouerai	je	continuerai
tu	étudieras	tu	joueras	tu	continueras
il	étudiera	elle	jouera	il	continuera
nous	étudierons	nous	jouerons	nous	continuerons
vous	étudierez	vous	jouerez	vous	continuerez
ils	étudieront	elles	joueront	ils	continueront

EXERCICES

718 Conjugue au futur.

saluer les spectateurs — apprécier un plat — jouer aux dames

719 Choisis un verbe de cette liste et conjugue-le au futur. Écris ensuite tous ces verbes aux 1re et 3e personnes du pluriel du futur.

colorier — remercier — vérifier — balbutier — remuer — rejouer.

720 Écris les verbes entre parenthèses au futur.

Je n'(oublier) pas de fermer la porte à clé. — Tu (avouer) que ce problème est trop difficile. — Il (continuer) à prendre des cours de judo.

721 Écris les verbes entre parenthèses au futur.

Mustafa (parier) sur la victoire de son équipe. — L'arrière (expédier) le ballon entre les poteaux. — Vous (s'habituer) à vivre dans cette cité. — Nous (louer) une planche à voile.

722 Écris les verbes à la 2e personne du singulier du présent, de l'imparfait et du futur.

échouer à un examen — vérifier un résultat — déjouer les pièges.

723 Vocabulaire à retenir

le prunier — le pied — le nez — l'enveloppe — la goutte — difficile

Le verbe être au futur

Demain, je **serai** en vacances et je **serai** heureux.

RÈGLE

Au futur, le verbe **être** a les mêmes terminaisons que les autres verbes : -ai, -as, -a, -ons, -ez, -ont, toujours précédées de la lettre r :
je serai, tu seras.

Remarque : Quand un participe passé ou un adjectif qualificatif est employé avec le verbe **être**, il faut l'accorder avec le sujet du verbe : Elles seront heureus**es**.

être	je	serai	nous	serons
	tu	seras	vous	serez
	elle	sera	elles	seront

EXERCICES

724 Conjugue Demain je serai en vacances et je serai heureux **au futur et entoure les terminaisons du verbe** être.

725 Conjugue au futur.

être face à l'écran — être au restaurant — être dans une situation délicate.

726 Complète par le verbe être **au futur.**

Je … dans le métro. — Tu … en Suisse. — Anaïs … dans l'ascenseur et Célia … dans l'escalier. — Vous … au bord de la mer. — Ils … chez eux.

727 Complète par le verbe être **au futur.**
Accorde les adjectifs qualificatifs entre parenthèses.

Tu … (fier) de toi. — Nous … plus (malin) que vous. — Je … (bref).

728 Écris les verbes au futur.

Nous sommes au musée du Louvre. — Je suis encore dans mes rêves. — Vous étiez à l'heure. — Tu étais raisonnable. — Le fruit était mûr.

729 Indique entre parenthèses le temps et la personne du verbe être.
Exemple : Je serai là. → futur, 1re personne du singulier.
Tu seras le premier. — J'étais à l'abri. — Les hirondelles sont de retour.

730 Vocabulaire à retenir

long, longue — surpris, surprise — fier, fière — malin, maligne

97e leçon

Le verbe avoir au futur

Pour mon anniversaire, j'**aurai** un appareil-photo.

RÈGLE

Au futur, le verbe **avoir** a les mêmes terminaisons que les autres verbes : -ai, -as, -a, -ons, -ez, -ont, toujours précédées de la lettre r :

j'au**rai**, tu au**ras**.

avoir	j'	aurai	nous	aurons
	tu	auras	vous	aurez
	il	aura	ils	auront

EXERCICES

731 Conjugue l'exemple Pour mon anniversaire, j'aurai un appareil-photo **et entoure les terminaisons du verbe** avoir.

732 Conjugue au futur.

avoir une montre de plongée avoir du temps libre avoir de l'argent

733 Complète par le verbe avoir **au futur.**

Plus tard, j'... un bon métier. — Tu ... de la confiture et du pain d'épice. — Il ... des journaux à lire. — Nous ... des invités. — Vous ... besoin de dormir. — Elles ... les meilleures places.

734 Écris les verbes au futur.

J'ai un violon. — Nous avions une trompette. — Tu avais la possibilité d'apprendre l'italien. — Vous aviez de bonnes chaussures de marche.

735 Écris les verbes à la 2e personne du singulier et du pluriel au présent, à l'imparfait et au futur.

avoir faim — avoir soif — avoir froid — avoir chaud.

736 Donne le temps et la personne du verbe avoir.

J'ai beaucoup de chance. — Tu auras toujours une préférence pour ce chanteur. — Vous aviez la tête dans les nuages.

737 Emploie le verbe avoir **au futur dans un petit texte.**

738 Vocabulaire à retenir

la faim — la soif — le froid — le chaud — le souci — le besoin

Le verbe chanter au passé composé

Hier à la fête, j'**ai chanté** avec mes amis.

RÈGLES

1. Le passé composé du verbe **chanter** est formé de deux mots : le verbe **avoir** au présent et le participe passé **chanté** :
j'ai chanté, tu as chanté.

2. Après **avoir**, le verbe s'écrit avec un **é**:
il a chanté, nous avons chanté, ils ont chanté.

chanter	j'	ai	chanté	nous	avons	chanté
	tu	as	chanté	vous	avez	chanté
	elle	a	chanté	elles	ont	chanté

EXERCICES

739 **Conjugue** Hier à la fête, j'ai chanté avec mes amis **au passé composé ; entoure le verbe** avoir **et souligne la terminaison** -é.

740 **Conjugue au passé composé.**
chanter comme un pinson — chanter à voix basse.

741 **Conjugue le verbe** chanter **au passé composé en ajoutant, pour chaque personne, une de ces expressions.**
gaiement — en rentrant en classe — d'une voix juste — en randonnée — sous la douche — pour endormir son petit frère.

742 **Complète par le verbe** chanter **au passé composé. Souligne la terminaison** -é **du participe passé**
Tu … une chanson douce. — Nous … à tue-tête. — J'… au mariage de mon frère. — Vous … très longtemps. — Patricia Kaas … le blues.

743 **Écris le verbe** chanter **à la 2e personne du singulier et du pluriel du présent, de l'imparfait, du futur, du passé composé.**

744 **Emploie le verbe** chanter **au passé composé dans trois phrases.**

745 **Vocabulaire à retenir**
la veillée — la randonnée — la soirée

99e leçon

Les verbes en -er au passé composé

Hier, j'**ai nettoyé** mon vélo et j'**ai graissé** la chaîne.

RÈGLE

Au passé composé, presque tous les verbes en **-er** se conjuguent comme **chanter**, avec le verbe **avoir** au présent, suivi du verbe terminé par é : j'ai nettoyé, tu as brossé.

nettoyer	j' ai nettoyé	nous avons nettoyé
	tu as nettoyé	vous avez nettoyé
	il a nettoyé	ils ont nettoyé

EXERCICES

746 Conjugue au passé composé.

gonfler les pneus — grimper la côte — pédaler de toutes ses forces
transpirer — changer de vitesse — freiner dans les descentes

747 Écris au passé composé les verbes entre parenthèses.

J' (donner) tous mes livres d'enfant. — Tu (lâcher) la perche trop tôt. — Vous (agiter) le bras. — Le ministre (visiter) une usine.

748 Écris au passé composé les verbes entre parenthèses.

L'automobiliste (emprunter) l'autoroute. — Les clients (vider) les rayons du supermarché. — Cette année, on (récolter) beaucoup de pommes.

749 Écris les verbes au passé composé.

Les campeurs plantent leur tente. —Nous visitions l'atelier d'un peintre. — Les ouvriers goudronneront les trottoirs.

750 Indique après chaque verbe le temps auquel il est employé.

Exemple : J'ai décoré ma chambre. → passé composé.

Fatima surveillait l'entrée de la maison. — Tu appelles les pompiers.

751 Indique l'infinitif, le temps et la personne des verbes.

Exemple : Ils ont chanté. → verbe chanter, passé composé, 3e pers. du plur.

Il cherchait la sortie. — Nous avons discuté. — Tu mélangeras les cartes.

752 Vocabulaire à retenir

surveiller — mélanger — commander — goudronner — perfectionner

Le verbe tomber au passé composé

En sortant du vestiaire, j'ai glissé et je suis tombé.

RÈGLES

1. Le passé composé du verbe **tomber** est formé de deux mots : le verbe **être** au présent et **tombé** : je suis **tombé**, tu es **tombé**.

2. Tombé s'accorde comme un adjectif relié au nom ou au pronom par le verbe **être** : Elle est grande. Elle est tombée.

3. Arriver, aller, entrer, rester se conjuguent comme **tomber** : elle est arrivée.

tomber						
	je	suis tombé(e)		nous	sommes	tombé(e)s
	tu	es tombé(e)		vous	êtes	tombé(e)s
	il	est tombé		ils	sont	tombés
	elle	est tombée		elles	sont	tombées

EXERCICES

753 Conjugue En sortant, j'ai glissé et je suis tombé **au passé composé ; entoure le verbe** être **et souligne les terminaisons de** tomber.

754 Conjugue au passé composé.
aller au marché — arriver tôt — rester au lit — frapper à la porte et entrer.

755 Complète par le verbe tomber **au passé composé.**
Tu … de bicyclette. — Nous … en patinant. — Ils … dans le fossé. — Le nid … de l'arbre. — Ils … de cheval. — Elle … de sa chaise.

756 Écris les verbes au passé composé. Pense aux accords.
Nous (aller) à Paris. — La dépanneuse (arriver). — Tu (arriver) en retard. — Ils (aller) à la piscine. — Les acteurs (entrer) en scène. — La voiture (rester) sur le parking. — Tu (téléphoner) dans la soirée.

757 Indique l'infinitif, le temps, la personne des verbes.
Exemple : Tu es restée là. → verbe rester, passé composé, 2e pers. du sing.
Nous avons sauté en parachute. — Je suis tombé de l'échelle.

758 Vocabulaire à retenir
arriver — entrer — rester — aller — le parking — le camping

101e leçon

Le verbe être au passé composé

J'**ai été** ravi de retrouver mes amis.

RÈGLES

1. Le passé composé du verbe **être** est formé du présent du verbe **avoir** et du mot **été** : j'**ai été**, tu **as été**.

2. Quand un adjectif qualificatif ou un participe passé est relié au nom ou au pronom par le verbe **être**, il s'accorde avec ce nom ou ce pronom : Elles sont ravies. Elles ont été ravies.

être	j'	ai	été	nous	avons	été
	tu	as	été	vous	avez	été
	elle	a	été	elles	ont	été

EXERCICES

759 Conjugue Hier j'ai été ravi de retrouver mes amis **au passé composé ; entoure le verbe** avoir **et souligne le mot** été.

760 Conjugue au passé composé.
être dans son bain — être dans le noir — être sous le charme.

761 Conjugue les verbes au passé composé. Pense aux accords.
être surpris par l'avalanche et avoir peur — être satisfait de la soirée et avoir envie de recommencer.

762 Complète par le verbe être **au passé composé.**
Nous … les seuls à voir ce film. — J'… malade, mais ce n'était pas grave. — Les pantalons larges … à la mode pendant longtemps.

763 Écris les verbes entre parenthèses au passé composé.
Vous (toucher) les murs avant que la peinture soit sèche ; le travail (être) à refaire. — L'an dernier, Rachid (être) responsable de la bibliothèque.

764 Écris les verbes entre parenthèses au passé composé.
La semaine dernière, nous (avoir) la fête au village. Nous (être) contents d'y aller. Les musiciens (jouer) des airs connus. Ma sœur (danser) le rock et moi, j'(tirer) à la carabine. Nous (rentrer) tard.

765 Vocabulaire à retenir
cent, la centaine, le centenaire — un arbre

Le verbe avoir au passé composé

Sur le bateau, j'**ai eu** le mal de mer.

RÈGLE

Le passé composé du verbe **avoir** est formé du présent du verbe **avoir** et du mot **eu** : j'**ai eu**, tu **as eu**.

avoir	j' ai eu	nous avons eu
	tu as eu	vous avez eu
	il a eu	ils ont eu

EXERCICES

766 **Conjugue** Sur le bateau, j'ai eu le mal de mer **au passé composé ; entoure le verbe avoir et souligne le mot** eu.

767 **Conjugue au passé composé.**
avoir un trou de mémoire — avoir une peur bleue — avoir une bonne note.

768 **Complète par le verbe** avoir **au passé composé.**
Il … un beau livre. — J'… le droit de veiller un peu. — Nous … la visite de nos cousines. — Vous … des stylos à bille. — Elle … envie de manger des escargots. — Tu … un cadeau pour ta fête.

769 **Écris les verbes entre parenthèses au passé composé.**
J'(avoir) les oreilles bouchées car je (rester) trop longtemps sous l'eau. — Lorsque tu (quitter) ton village de Milly, tu (avoir) beaucoup de peine. — Vous (téléphoner) chez lui et vous (avoir) la surprise de le trouver.

770 **Écris les verbes en bleu au passé composé.**
Franck et moi, nous marchons longtemps. Nous avons soif, nous avons faim. Enfin, nous arrivons au centre. L'animatrice cherche un goûter et nous donne du pain avec du fromage. Nous mangeons avec appétit.

771 **Emploie le verbe** avoir **au passé composé dans trois phrases.**

772 **Écris un court texte dans lequel tu emploieras le verbe** avoir **et deux verbes en -**er **au passé composé.**

773 **Vocabulaire à retenir**
un brin de muguet — un ours brun
le genou, les genoux — le bijou, les bijoux

103e leçon

Le verbe à la forme négative

Il **n'**a **pas** reculé devant l'obstacle, car il **n'**hésite **jamais**.

RÈGLES

1. Le verbe est à la forme négative lorsque l'action ne se fait pas :
   il a reculé → il n'a pas reculé.

2. Pour mettre un verbe à la forme négative, on ajoute **ne ... pas**, **ne ... jamais...** ou **ne ... plus** :
   il a reculé → il **n'**a **pas** reculé   il hésite → il **n'**hésite **jamais**.

EXERCICES

774 **Conjugue** Il n'a pas reculé devant l'obstacle, car il n'hésite jamais **à toutes les personnes. Souligne les mots** ne … pas **et** ne … jamais.

775 **Conjugue au présent, puis au futur, avec** ne … pas.

rêver	saler le gratin	mouiller ses chaussures
fermer la porte	avoir faim	jouer au rugby

776 **Écris les verbes à la forme négative en employant** ne … pas.
Tu as sauté dans l'eau. — Nous pêcherons dans cette rivière. — Le conducteur a manœuvré correctement ; il a garé sa voiture sur le bon emplacement. — Cédric parle assez fort. — Ce matin, vous avez déjeuné. — Ils ont rangé leurs vêtements. — Je souhaitais revoir ce film.

777 **Écris les verbes à la forme négative en employant** ne … plus.
Tu pleureras. — Il a toussé. — Vous pensiez à nous. — Il compte sur ses doigts. — Elle supporte le bruit des avions. — Après sa chute, Samira a skié. — Les freins de l'auto fonctionnaient.

778 **Écris les verbes à la forme négative en employant** ne … jamais.
Je jouais dans la rue. — Norbert se séparait de son ours en peluche. — Nous marchons du côté droit de la chaussée. — Les robinets arrêtaient de couler. — Vous avez attaché votre chien. — Tu as rongé tes ongles.

779 **Écris deux phrases dans lesquelles les verbes seront employés à la forme négative.**

780 **Vocabulaire à retenir**
le frein, freiner — le film, filmer — l'arrêt, arrêter — le souhait, souhaiter

Les verbes finir et vendre aux quatre temps étudiés

Le menuisier **finit** ce meuble et le **vend**.

RÈGLES

1. Au présent, les verbes en **-ir**, comme **finir**, prennent les terminaisons suivantes : -s, -s, -t, -ons, -ez, -ent.
Au pluriel, on retrouve **-iss** : je finis, nous fin**iss**ons.

2. Au présent, les verbes en **-dre**, comme **vendre**, conservent généralement le **d** : je ven**d**s, tu ven**d**s, il ven**d**.

3. À l'imparfait, tous les verbes prennent les mêmes terminaisons : -ais, -ais, -ait, -ions, -iez, -aient : je finissais, je vendais.

4. Au futur, tous les verbes prennent les mêmes terminaisons : -ai, -as, -a, -ons, -ez, -ont, toujours précédées de la lettre **r** :
je finirai, je vendrai.

5. Au passé composé des verbes comme **finir** et **vendre**, on retrouve le présent du verbe **avoir** : J'**ai** fini, j'**ai** vendu…

présent		imparfait		futur		passé composé		
				finir				
je	finis	je	fin**iss**ais	je	finirai	j'	ai	fini
tu	finis	tu	fin**iss**ais	tu	finiras	tu	as	fini
elle	finit	il	fin**iss**ait	elle	finira	il	a	fini
nous	fin**iss**ons	nous	fin**iss**ions	nous	finirons	nous	avons	fini
vous	fin**iss**ez	vous	fin**iss**iez	vous	finirez	vous	avez	fini
ils	fin**iss**ent	elles	fin**iss**aient	ils	finiront	elles	ont	fini
				vendre				
je	vends	je	vendais	je	vendrai	j'	ai	vendu
tu	vends	tu	vendais	tu	vendras	tu	as	vendu
elle	vend	il	vendait	elle	vendra	il	a	vendu
nous	vendons	nous	vendions	nous	vendrons	nous	avons	vendu
vous	vendez	vous	vendiez	vous	vendrez	vous	avez	vendu
ils	vendent	elles	vendaient	ils	vendront	elles	ont	vendu

verbes se conjuguant comme finir				
bondir	grandir	obéir	réunir	salir
choisir	grossir	réfléchir	rougir	punir

verbes se conjuguant comme vendre				
attendre	descendre	étendre	perdre	répondre
défendre	entendre	pendre	rendre	prétendre

EXERCICES

781 Conjugue les verbes au présent.

maigrir grossir pâlir réfléchir grandir réussir guérir

782 Écris les verbes entre parenthèses au présent.

Tu (choisir) un disque. — Nous (remplir) nos gourdes. — Je (franchir) la frontière. — Vous (ralentir) au tournant. — Les phares nous (éblouir).

783 Écris les verbes entre parenthèses au présent.

Tu (apprendre) le texte par cœur. — Nous (tendre) un piège à nos adversaires. — Les autruches (pondre) de gros œufs. — Vous (mordre) dans le fruit juteux. — Le voilier (fendre) la vague. — J'(entendre) le bruit des machines.

784 Conjugue à l'imparfait.

défendre son avis — vendre du muguet — aplatir un clou — pétrir la pâte.

785 Écris les verbes entre parenthèses à l'imparfait.

Tu (rougir) facilement. — Nous (obéir) à nos parents. — Je (gravir) la pente. — Les balles (rebondir) contre le mur. — Vous (réunir) vos économies. — L'avion (atterrir).

786 Conjugue au futur : attendre la sonnerie, revendre une voiture.

787 Écris les verbes entre parenthèses au passé composé.

Je (tendre) la main à mon camarade. — Monsieur Armand (tondre) son gazon. — Tu (descendre) l'escalier. — Nous (étendre) le linge. — L'ouragan (tordre) les arbres. — Vous (perdre) la partie.

788 Conjugue au passé composé.

brunir au soleil pendre son survêtement tendre la corde

789 Écris les verbes entre parenthèses au passé composé.

Robinson (bâtir) une cabane. — Les nuages (obscurcir) le ciel. — J'(fleurir) la salle à manger. — Tu (avertir) ton grand-père de ta visite. — Tu (répondre) au téléphone. — Nous (entendre) les cloches de l'église.

790 Écris à la 2e personne du singulier des quatre temps étudiés.

sauter de joie marcher en silence resplendir de santé

791 Vocabulaire à retenir

bondir — réunir — grandir — attendre — entendre — défendre

Les verbes aller, ouvrir, venir, faire aux quatre temps étudiés

Je **fais** un gâteau, ensuite j'**irai** te voir.
Marc **viendra** avec moi et il **ouvrira** la porte.

RÈGLES

1. À la 1re personne du pluriel du présent, et à toutes les personnes de l'imparfait, le verbe **faire** se prononce [fə] et s'écrit **fai-** :
nous faisons, je faisais, tu faisais.

2. **Offrir** et **cueillir** se conjuguent comme **ouvrir** au présent :
j'ouvre, j'offre, je cueille.

présent		imparfait		futur		passé composé		
				aller				
je	**vai**s	j'	**all**ais	j'	**i**rai	je	suis	**all**é(e)
tu	**va**s	tu	**all**ais	tu	**i**ras	tu	es	**all**é(e)
elle	**va**	il	**all**ait	elle	**i**ra	il	est	**all**é
nous	**all**ons	nous	**all**ions	nous	**i**rons	nous	sommes	**all**é(e)s
vous	**all**ez	vous	**all**iez	vous	**i**rez	vous	êtes	**all**é(e)s
ils	**v**ont	elles	**all**aient	ils	**i**ront	elles	sont	**all**ées
				ouvrir				
j'	ouvre	j'	ouvrais	j'	ouvrirai	j'	ai	ouvert
tu	ouvres	tu	ouvrais	tu	ouvriras	tu	as	ouvert
elle	ouvre	il	ouvrait	elle	ouvrira	il	a	ouvert
nous	ouvrons	nous	ouvrions	nous	ouvrirons	nous	avons	ouvert
vous	ouvrez	vous	ouvriez	vous	ouvrirez	vous	avez	ouvert
ils	ouvrent	elles	ouvraient	ils	ouvriront	elles	ont	ouvert
				venir				
je	viens	je	venais	je	vien**d**rai	je	suis	venu(e)
tu	viens	tu	venais	tu	vien**d**ras	tu	es	venu(e)
elle	vient	il	venait	elle	vien**d**ra	il	est	venu
nous	venons	nous	venions	nous	vien**d**rons	nous	sommes	venu(e)s
vous	venez	vous	veniez	vous	vien**d**rez	vous	êtes	venu(e)s
ils	vie**nn**ent	elles	venaient	ils	vien**d**ront	elles	sont	venues
				faire				
je	fais	je	faisais	je	f**e**rai	j'	ai	fait
tu	fais	tu	faisais	tu	f**e**ras	tu	as	fait
elle	fait	il	faisait	elle	f**e**ra	il	a	fait
nous	faisons	nous	faisions	nous	f**e**rons	nous	avons	fait
vous	fai**t**es	vous	faisiez	vous	f**e**rez	vous	avez	fait
ils	font	elles	faisaient	ils	f**e**ront	elles	ont	fait

Révision

792 Copie ce texte et entoure les verbes.

Le marchand de marrons installe son fourneau sur le trottoir. Il allume le feu. Le charbon brille. Les marrons grillent et craquent. Nous approchons et nous demandons un cornet de marrons chauds.

793 Écris l'infinitif des verbes de l'exercice précédent.

Exemple : installe → installer

794 Écris les verbes à la 2e personne du singulier du présent.

danser le rock — sauter à la corde — secouer le flacon — jouer au loto — déplier le journal — amuser les spectateurs — dévorer un chapitre.

795 Écris les verbes de l'exercice nº 794 à la 2e personne du pluriel.

796 Écris les verbes à la 1re personne du singulier du présent.

allonger le pas — avancer le pied — attraper un coup de soleil — préparer le repas — habiter au dixième étage — illustrer un texte — fermer la porte.

797 Écris les verbes de l'exercice nº 796 à la 1re personne du pluriel.

798 Complète avec un nom sujet singulier ou un nom sujet pluriel.

... roulent. — ... brûle. — ... grognent. — ... sonne. — ... chantent. — ... arrive. — ... accélère. — ... se vexe. — ... toussent.

799 Complète par un verbe au singulier ou au pluriel. (choisir le temps.)

Les cheminées ... . — L'arbitre ... . — Les moustiques ... . — La lune ... . — Les footballeurs ... . — Les chevaux ... . — Le professeur ... — Le cosmonaute ... .

800 Écris ces verbes à la 2e personne du singulier du présent.

étudier	copier	réciter	parier	éternuer	jouer
monter	avouer	tricher	remuer	grimper	nouer

801 Écris les verbes entre parenthèses au présent.

Je (placer) la tarte dans le four. — L'automobiliste (respecter) la priorité. — Tu (avoir) froid et tu (boutonner) ton manteau. — Les bouchers (découper) la viande. — Le contrôleur (accepter) de vous laisser entrer. — L'instituteur (répéter) une dernière fois les consignes pour effectuer l'exercice. — Vous (calculer) la distance qui vous (séparer) de l'arrivée. — Cette maison (abriter) un centre de vacances. — Nous (changer) souvent de place car les piliers nous (gêner).

802 **Trouve deux verbes en -**er **pour indiquer ce que peut faire :** le dessinateur, la foule, l'orage. **Ajoute des compléments.**
Exemple :
le cuisinier → Le cuisinier épluche les légumes et il sale le gratin.

803 **Trouve deux verbes en -**er **pour indiquer ce que peuvent faire :** les tortues, les autobus, les secrétaires. **Ajoute des compléments.**
Exemple : les chats → Les chats jouent avec les enfants et ils lapent leur lait.

804 **Conjugue** être au lit et avoir de la fièvre **au présent et entoure les verbes** être **et** avoir.

805 **Conjugue au présent.**
être dans les bois et avoir un VTT — être au bord de la mer et avoir un bateau — avoir des joues roses et être en bonne santé. — avoir sept ans et être au cours élémentaire.

806 **Trouve une expression avec les verbes** être **et** avoir **(sur le modèle de l'exercice précédent) et conjugue-la au présent.**

807 **Complète par le verbe** être **ou par le verbe** avoir **au présent.**
Je ... au verger, j'... un panier plein de fruits. — Tu ... au cirque, tu ... un programme. — Il ... beaucoup de travail, il ... en retard. — Nous ... en promenade, nous ... beau temps. — Vous ... sur le terrain et vous ... un ballon. — Comme ils ... des lunettes, ils ... au premier rang.

808 **Complète par le verbe** être **ou par le verbe** avoir **au présent.**
Il neige, nous ... toute la journée pour faire de la luge ; nous ... heureux. — Vous ... deux indices et vous ... capables de résoudre l'énigme. — Le bulldozer ... en panne ; les mécaniciens ... du mal à réparer cet engin. — Tu ... une console de jeux car tu ... une passionnée de vidéo. — Ce vêtement n'... pas cher et Axelle en ... pour son argent.

809 **Conjugue au présent. (Attention aux accords.)**
être le premier et avoir une récompense — avoir une calculatrice et être capable de compter rapidement — avoir des regrets et être mal à l'aise.

810 **Écris les verbes entre parenthèses au présent.**
Je (être) au milieu du grand bassin mais je n'(avoir) pas peur car j'(avoir) une bouée bien gonflée. — Mon frère (avoir) douze ans et il (être) au collège. — Tu (avoir) des bottes et tu (être) bien couvert. — Les avions (être) en retard car il y (avoir) du brouillard. — Le campeur (être) seul au milieu de la clairière et il (avoir) de la place pour planter sa tente.

Révision

811 Conjugue à l'imparfait.

déplacer les meubles et ranger la vaisselle — être en retard au cinéma et déranger tout le monde — avoir des chaussures neuves et être fier — apprécier les gâteaux au chocolat mais détester la crème caramel — rencontrer une difficulté mais continuer quand même.

812 Écris les verbes à l'imparfait.

Louis (avoir) le cœur gros, il (pleurer). — Sans manteau, tu (frissonner). — Vous (éplucher) les pommes de terre : c'(être) long ! — Nous (aligner) les chiffres. — Je (posséder) trois cassettes de dessins animés. — Les ouvriers (poser) une moquette neuve dans l'entrée.

813 Écris les verbes à l'imparfait.

Vous (vérifier) les niveaux d'huile. — Les premiers explorateurs de l'Afrique ne (s'habituer) pas à la chaleur. — Tu (balancer) les bras en marchant. — Nous (protéger) notre petit frère. — Comme il n'y (avoir) plus de poissons, le pêcheur (plier) ses cannes. — Tu (imaginer) que le château de Chambord (être) plus petit.

814 Écris les verbes à l'imparfait.

J'ai une montre, je la regarde et je ne suis jamais en retard. — Tu es au marché, ton panier est lourd. — Les ampoules sont grillées, nous les remplaçons. — Vous criez au lieu de chanter doucement. — Les montagnards ne redoutent pas la neige. — À la cafétéria, nous avançons le plateau à la main.

815 Écris les noms en bleu au pluriel et accorde.

Tous les jours, l'élève perfectionne son accent espagnol. — Le vendeur parlait sans arrêt. — L'horloge sonnait huit heures. — La station-essence restait ouverte jusqu'à vingt-deux heures. — Le promeneur écoute les bruits de la forêt. — Comme l'enfant bougeait sans arrêt, la photo est floue.

816 Copie en remplaçant il(s) **ou** elle(s) **par un nom qui convient.**

Il éclaire la terre. — Ils bêlaient. — Ils chantent dès le lever du jour. — Il éparpille les feuilles du marronnier. — Ils découpaient la viande. — Elles broutent l'herbe tendre. — Ils coupent les cheveux. — Il rabotait les planches. — Il vend des médicaments.

817 Copie en remplaçant le nom sujet par il(s) **ou** elle(s).

L'orage grondait. — La pluie tombait. — Le toit brillait. — Les gouttières débordaient. — Le vent soufflait. — Les passants se hâtaient. — Les voitures roulaient. — Le pêcheur appâtait. — Les chiens aboyaient. — La cliente faisait l'appoint. — Les vendeurs rangeaient les rayons.

818 **Complète ces phrases avec le verbe** distribuer **à l'imparfait, suivi d'un complément de ton choix.**
Exemple : Le père Noël distribuait des cadeaux.
Les coursiers … . — Les hôtesses de l'air … . — Le facteur … . — Grand-mère … . — Les élèves … .

819 **Complète la phrase avec trois verbes à l'imparfait.**
Le chat ronronnait dans son panier ; il …

820 **Emploie trois verbes à l'imparfait dans trois courtes phrases.**

821 **Conjugue au présent.**
défaire ses lacets
franchir le portail
faire le clown
prévenir les pompiers
aller à la fête foraine
tendre un chèque
ouvrir un paquet
revenir de classe de mer
rendre la monnaie

822 **Écris les verbes entre parenthèses au présent.**
Nous (flâner) à travers la campagne. Isabelle (cueillir) des fleurs et (faire) un bouquet. Alex (se dégourdir) les jambes et (observer) des papillons. Le soleil (descendre). Nous (revenir) à la maison. Maman nous (attendre).

823 **Conjugue à l'imparfait.**
fermer la porte — cueillir des noisettes — faire sa toilette — grandir de cinq centimètres — couvrir un livre — manger doucement — lancer le ballon — ouvrir la fenêtre — aller au cirque — offrir un cadeau.

824 **Écris les verbes entre parenthèses à l'imparfait.**
La semaine dernière, Boris (être) en vacances. Il (aller) à la piscine presque tous les jours. Il (rencontrer) souvent des camarades. Ensemble, ils (faire) des longueurs de bassin et ils (s'amuser) au plongeoir. Le maître nageur les (surveiller). À cinq heures, ils (quitter) tous la piscine et ils (rentrer) goûter.

825 **Écris les verbes entre parenthèses à l'imparfait.**
Avec Raphaël, je (jouer) à la pétanque presque tous les jours. Ah ! les bonnes parties que nous (faire). Nous (placer) le cochonnet assez loin. Je (compter) mes pas, je (lancer) une boule. Elle (arriver) tout près du cochonnet ; je la (marquer). Raphaël (attendre), puis (tirer) à son tour.

826 **Conjugue au futur.**
allumer toutes les lumières — avoir du courage — finir ses devoirs — revenir du marché — faire les courses — être sur un radeau — ouvrir la bouche — aller à la mairie — attendre l'autobus — sauter de joie.

Révision

827 Écris les verbes entre parenthèses au futur.

Quand il (faire) beau, nous (aller) à la plage. Je (prendre) ma pelle, tu (prendre) tes raquettes. Nous (bâtir) un château puis nous (jouer) à nous lancer des balles. Nous (faire) plusieurs parties. Nos parents (venir) nous chercher pour rentrer. — L'avion (décoller) dans deux heures et (atterrir) demain matin à New York. — D'après la météorologie nationale demain nous (avoir) beau temps.

828 Emploie le verbe être **au futur dans quatre courtes phrases.**

829 Écris les verbes entre parenthèses au futur.

Dimanche (avoir) lieu la fête du village. Des chanteurs (s'installer) sur le trottoir ; ils (jouer) toute la matinée. L'après-midi, les jeux (commencer). Je (faire) la course en sac. Tu (pousser) une brouette contenant une grenouille. Nous nous (amuser) bien.

830 Conjugue au passé composé.

recompter l'opération — être couché — perdre la partie
garnir le réfrigérateur — acheter le journal — croquer du chocolat
aller en voyage — avoir du chagrin — revenir de la salle de sport

831 Écris les verbes entre parenthèses au passé composé.

Pour mon anniversaire, nous (préparer) un gâteau. J'(peser) la farine. J'(mesurer) le sucre. Tu (casser) les œufs. Nous (tourner) la pâte. Dominique (beurrer) un plat. J'y (verser) la crème. Nous (glisser) le plat dans le four. Les petits et les grands (savourer) le bon gâteau. — Il (réussir) son examen grâce à un travail régulier et continu.

832 Écris les verbes entre parenthèses au passé composé.

Nous (aller) chez un marchand de vêtements. Nous (attendre) notre tour. Enfin, j'(essayer) un manteau. Le tailleur (retoucher) le col, (épingler) la ceinture et (raccourcir) les manches. Il (finir) les boutonnières. Nous (rester) longtemps assises parce que le travail était plus long que prévu. Maman (payer) et nous (quitter) cette boutique.

833 Écris les verbes entre parenthèses au passé composé. Pense aux accords.

Nous (être bien reçu). — Ils (glisser) sur les carreaux mouillés. — Tu (rentrer) tard. — Elles (être accueillant). — Chez le dentiste, vous (être patient). — Nous (avoir) bien du mérite de ne pas nous endormir. — Les invités (arriver) à l'heure. — Au coup de pistolet, les coureurs (s'élancer). — Le cachet (calmer) la douleur, Arnaud (retrouver) des couleurs.

Index

Index

Difficultés de la langue française citées

Les verbes conjugués

Achevé d'imprimer en Espagne par Mateu Cromo, S.A.
Dépôt légal: 66142 - 12 / 2005. Collection : 14 - Edition 09
11/6119/9